BODY

HARRISON ARNSTON
D'APRÈS LE SCÉNARIO DE
BRAD MIRMAN

BODY

TRADUIT DE L'AMÉRICAIN
PAR FRANK ROCHE

ÉDITIONS J'AI LU

Titre original :

DEADLY EVIDENCE
Harper Paperbacks

1

Andrew Marsh était couché sur le dos, dans un état proche de l'extase. Les yeux écarquillés, il avalait l'air par à-coups. Les bras tirés derrière la tête à s'en déboîter les épaules, il ruait comme un fou de tout son corps entravé. Il tenta vainement de décoller sa nuque de l'oreiller de satin puis la laissa retomber en poussant un gémissement.

Il ne paraissait pas ses soixante-trois ans. Solide, bâti comme un athlète, il avait de beaux traits. Et ces traits, en l'espace de quelques secondes, se tordirent en une série de grimaces allant de la douleur insoutenable au plaisir le plus intense.

Tout ça grâce à la fille superbe qui le chevauchait. Une beauté au visage parfait, deux fois plus jeune que lui. Son corps musclé, somptueux était agité de soubresauts ! Ses cheveux blonds, mi-longs, roulaient leurs vagues et leurs boucles au rythme de ses assauts. Les seins voluptueux plantés comme des obus se trémoussaient de façon provocante. A cheval sur le sexe de l'homme, elle s'empalait avec une telle frénésie que ses fesses nues lui claquaient bruyamment contre les cuisses.

Une gifle retentissante lui arracha un nouveau gémissement puis elle lui fouetta l'autre cuisse, si fort que la peau blanchâtre de Marsh se marbra de rouge.

Il gémit encore, totalement englué dans cette débauche de plaisir et de souffrance si bien dosés.

La fille ferma les yeux, rejeta la tête en arrière, se besogna copieusement. Elle fit saillir davantage sa poitrine pour se caresser les seins et pincer les mamelons durs et gonflés. Lentement elle avança la tête ; ses yeux frangés de longs cils s'ouvrirent tout grands ; son sourire radieux révéla des dents parfaites, d'une éclatante blancheur.

On voyait bien qu'elle jouissait de cet accouplement ; du pouvoir absolu imposé à son mâle. Elle avait le pouvoir de changer d'allure, de s'interrompre ou de limer à perdre haleine, de l'exciter de ses seins, de jouer avec lui comme d'un objet. Oui, elle jouissait de cet instant hors du temps, de cette souffrance qu'elle infligeait, de ce plaisir qu'elle prodiguait.

Un grognement échappa à Marsh. Il aspira avec bruit une goulée de cet air qui lui man-

6

quait. La femme pencha son buste pour lui effleurer la bouche de la caresse de ses seins. Un téton et puis l'autre. Mais quand la tête de l'homme se décolla encore une fois de l'oreiller, elle se redressa prestement, éloignant juste un peu ses seins de tentatrice. Marsh se mit à pleurnicher comme un enfant frustré.

A présent, les reins cambrés, la fille ondulait, se coulait sur cet ardent pilon, en une chevauchée de plus en plus violente. Elle secouait la tête de droite et de gauche tout en intensifiant le rythme. Les amants ruisselaient de sueur. La lumière tamisée des lampes de chevet répandait sur leurs corps une lueur sanglante.

Trémoussements, bruits de chair qui claque contre une autre chair se répercutaient sur les murs de la vaste chambre, entrecoupés de gémissements de volupté. Un râle, suivi d'un halètement jaillissaient de la gorge de Marsh qui ponctuait chaque respiration d'un cri rauque. La fille lui empoigna les hanches, les souleva en une secousse brutale, tyrannique, pour engager son pénis plus profond en elle.

Il poussa une plainte interminable dont les accents étouffés s'amplifiaient au rythme de plus en plus forcené que la fille imprimait à son bassin.

— Incroyable...

L'inspecteur Jack Reese secouait la tête, sidéré par ce spectacle. Il détourna le regard de l'écran de télévision pour le porter sur l'homme qui gisait sur le lit. Le même homme, celui de la vidéo, couché sur le même lit. La seule différence, c'était que la fille avait disparu, que l'homme gisait là, mort, les yeux grands ouverts, la mâchoire pendante.

Autour du lit s'affairaient les techniciens de la crime, les mains protégées par des gants de caoutchouc. Empreintes, échantillons, photos... la routine.

Le Dr McCurdy, médecin légiste du comté, observait deux des hommes qui soulevaient le cadavre pour le glisser dans le sac en plastique posé sur le chariot. Les yeux d'Andrew Marsh étaient ouverts et semblaient contempler le vide. Le légiste se pencha sur le corps pour une ultime vérification puis remonta la fermeture Éclair du sac.

— Moi aussi, j'ai cru un instant qu'il faisait semblant ! ricana l'inspecteur Reese et un sourire étira ses lèvres tandis qu'il ouvrait la porte de la chambre aux brancardiers.

Le Dr McCurdy ne releva pas. Ce furent les techniciens qui s'esclaffèrent. Puis ils se remirent vaille que vaille au travail... Pas facile avec cette cassette porno qui défilait toujours sur l'écran ; avec en fond sonore les cris et halètements d'un couple qui s'envoie en l'air.

La chambre en disait long sur Andrew Marsh. Spacieuse, luxueusement meublée, vaste lit à baldaquin en noyer. Les murs s'ornaient de tapisseries de grand prix. Aux fenêtres, de lourds rideaux ; sur le parquet d'épais tapis de laine. Une toile imposante — un nu monté sur cadre doré à la feuille —, couvrait un des murs ; sur un autre, deux nus de dimensions plus réduites. Il s'agissait là de trois Rubens authentiques.

Reese n'eut pas l'ombre d'un doute : ça puait le fric... et le sexe.

L'inspecteur connaissait son métier à fond ; c'était un dur à cuire. L'expérience du terrain se lisait sur ses traits burinés et si à Portland, Oregon, la criminalité n'atteignait pas un taux aussi vertigineux que dans les grandes métropoles, on y tuait suffisamment pour que les flics en deviennent blasés. La mort, Reese croyait en avoir fait le tour... jusqu'à celle d'Andrew Marsh. Une mort dont les circonstances inhabituelles n'avaient pas fini de l'intriguer...

— Y a pire, comme moyen de tirer sa révérence, commenta Griffin, le collègue de Reese qui regardait toujours la bande vidéo.

— De tirer son coup, tu veux dire.

Cette blague fit s'esclaffer l'un des hommes.

— Notre État ne mérite pas son surnom pour rien, pas vrai, les gars ?

— Et c'est quoi, ce surnom ? demanda un autre des techniciens.

— Quoi ? Tu connais pas ? L'Oregon, c'est l'« État du castor ». Tu savais pas que le castor, ça travaille dur de la queue ?

Celui qui avait posé la question émit un gloussement.

Reese appuya sur un bouton du magnétoscope pour rembobiner la cassette. En accéléré, ils devenaient grotesques, ces deux baiseurs, avec leurs mouvements saccadés et ces séquences inversées qui ne voulaient plus rien dire. Oui, plutôt comique, se dit Reese avec un ricanement.

Une affaire pas comme les autres, pour sûr. Avec pour seuls indices quelques gadgets de sex-shop et la vidéo qui montrait le mort en train de se faire chevaucher par une fille déchaînée. Et si ce mort n'avait pas été « monsieur » Andrew Marsh mais un citoyen ordinaire, la police ne se serait sûrement pas dérangée pour procéder à une enquête. Mais comme c'était l'un des citoyens les plus riches de Portland qui venait de mourir...

Quand Bob Garrett, le substitut du *district attorney*, arriva en vue de la maison de Marsh, il trouva une pagaille de voitures officielles. Plusieurs véhicules de la police, la camionnette du médecin légiste, la voiture banalisée d'un détective stationnaient sous une pluie persistante.

Garrett attrapa son parapluie noir tout cabossé, le déploya avant de sortir de son auto pour se lancer sous la pluie. Il ne vit qu'un seul policier en uniforme de faction devant la porte de l'imposante demeure de style colonial. Son regard fut ensuite attiré par une fourgonnette de la télévision qui s'éloignait du trottoir en dérapant sur cette chaussée mouillée où les pneus n'avaient aucune prise.

Il pleuvait depuis des heures. A tel point que les égouts débordaient sous le torrent impétueux des eaux qui se ruaient dans le caniveau. Garrett l'enjamba d'un bond et se retrouva sur le trottoir. Et c'est en chantonnant les premières mesures de *Singing in the Rain* qu'il se dirigea vers la demeure du mort. Pour mieux se blinder contre l'horreur qui l'attendait peut-être derrière la porte, exactement comme le faisaient ceux de la brigade criminelle et de la médecine légale. Un truc systématique dans le métier.

Il s'arrêta pour céder le passage à l'équipe qui sortait le chariot qu'on chargerait dans la camionnette de la morgue. Le Dr McCurdy leur emboîtait le pas.

— Sale journée pour y passer, dit Garrett qui offrit à McCurdy la protection de son parapluie.

— M. Andrew Marsh, étiqueté et emballé, commenta McCurdy. Mieux vaut lui que nous, pas vrai ?

— Alors ? De quoi est-il mort ? demanda Garrett au médecin légiste avant qu'il ne monte dans la camionnette.

— Arrêt du cœur, à ce qu'on dirait.

— C'est pas vrai !

Le Dr McCurdy se fendit d'un large sourire.

— Vous avez l'air déçu. Qui sait ? Je me trompe peut-être. De toute façon, je vous tiens au courant des résultats de l'autopsie.

Sur un hochement de tête, Garrett repartit d'un pas vif. Oui, il était déçu, vraiment, parce qu'il adorait les affaires judiciaires dans lesquelles se trouvent impliqués les gens en vue. Restait encore à prouver qu'il y avait eu meurtre. Le médecin légiste ne semblait pas convaincu. Pourtant, se dit le substitut, si la police l'avait appelé sur les lieux, c'est qu'il devait y avoir des éléments suspects. On ne dérange pas le substitut, on ne lui demande pas de mener l'enquête s'il s'agit d'une mort banale...

La trentaine passée, de taille moyenne, Bob Garrett était svelte, malgré un visage un peu bouffi. Sa sveltesse, il la devait à des séances régulières d'entraînement dans la salle de gym installée à son domicile. Les cheveux noirs soigneusement peignés en arrière, un visage rond et assez beau, les sourcils fournis, les iris d'un noir pétillant... Mais son regard pouvait prendre, en une fraction de seconde, une expression glaciale. Sinistre, même. La grande bouche charnue s'étirait souvent en un sourire mais chez cet homme d'humeur changeante, le sourire n'était jamais très loin du sarcasme.

Il était assez imbu de sa personne. La conscience qu'il avait de sa beauté frisait le narcissisme chez cet obsessionnel de la garde-robe. Il aimait s'habiller bien, paraître à son avantage et nul ne l'ignorait. Son charme ravageur, qu'il savait exploiter au maximum, atténuait pourtant sa vanité et le rendait plus humain.

Ce personnage, aux dons naturels savamment exploités exerçait une forte influence sur les jurés. Sur les femmes, notamment, à cause de ce don troublant qu'il avait de lire en elles comme dans un livre ouvert. Garrett ne l'ignorait pas. Et il savait en jouer, en véritable virtuose.

Une fois à l'abri du porche de l'entrée, il referma son parapluie avant de le tendre au policier.

— Tenez, mon brave, plaisanta-t-il, et il pénétra d'un pas nonchalant dans l'immense vestibule.

— Putain ! mais j'suis pas l'portier ! cracha le flic en gratifiant l'arrivant d'un regard mauvais.

Mais le substitut du D.A. avait déjà tourné le dos. Faute de réaction de sa part, le planton laissa tomber le parapluie dans un coin du hall.

A l'intérieur, la demeure était impressionnante. A tel point que Garrett ne put retenir un petit sifflement admiratif. Chez Andrew Marsh, l'une des plus grosses fortunes de Portland, la décoration dénotait des goûts d'esthète éclairé, depuis les tapis de haute laine jusqu'aux tableaux de maîtres. Tout dans cette demeure prouvait que l'homme aimait dépenser son argent, non pas l'amasser.

Ici et là, des bustes de Grecs et de Romains de l'Antiquité trônaient sur des consoles en bois ouvragé ; sur d'autres on pouvait admirer des sculptures d'artistes plus modernes, parmi lesquels des Américains.

L'élégance de l'ensemble intrigua Garrett : Marsh était-il passé par un décorateur ou avait-il tout choisi lui-même ? Sûrement un décorateur était passé par là. Les hommes d'affaires n'ont en général aucun goût.

Aux États-Unis, c'est le substitut du district attorney qui se charge de mener l'enquête, d'étayer les preuves qui permettront de condamner le coupable éventuel. Aussi le substitut fit-il le tour du rez-de-chaussée afin d'avoir une idée nette des lieux. Après quoi il monta au premier, croisant au passage un flic qui s'en allait. Tandis qu'il avançait dans le couloir plongé dans la pénombre, un bruit de voix lui parvenait de la chambre : le murmure étouffé des types de la brigade criminelle. On entendait aussi une sorte de plainte gutturale et grave émise par un homme puis le cri plus pénétrant, plus aigu d'une femme au bord du plaisir.

Sa curiosité éveillée, Garrett poussa la porte en se fourrant automatiquement les mains dans les poches afin de ne pas coller des empreintes digitales partout.

Bien que l'on eût enlevé le cadavre, la pièce fourmillait toujours de techniciens de la crimi-

14

nelle. Garrett les connaissait presque tous ; il les salua de la tête.

Mais dès l'entrée, ce fut le téléviseur grand écran qui le happa. De là montaient les bruits orgasmiques.

Sur l'écran, on voyait un homme allongé sur le dos. Garrett reconnut immédiatement Marsh. Il se faisait chevaucher par une superbe blonde. Tous deux étaient en train de faire l'amour à perdre haleine. Arrimés l'un à l'autre, le corps en sueur, ils ruaient à l'unisson. La femme cambrait les reins, se caressait les seins, en titillait les bouts... Elle se penchait sur l'homme, lui léchait la figure puis se redressait pour mieux l'exciter.

Lui, l'œil exorbité, haletant, s'acharnait à suivre le rythme. Difficile de savoir s'il en retirait du plaisir ou de la douleur. Garrett paria pour la souffrance.

— Pas mal, comme qualité, dit-il, impressionné par le dispositif vidéo.

Le voyeurisme, très peu pour lui. Il préférait faire l'amour plutôt que regarder quelqu'un le faire. La pornographie l'ennuyait à mourir.

— Son cul non plus, il est pas mal ! rétorqua l'un des techniciens.

L'inspecteur Reese s'approcha de Garrett, jeta un coup d'œil à la bande et rigola.

— Ils avaient laissé ça dans le magnétoscope. Quand on est arrivés, l'appareil était encore branché.

— Vous avez besoin de gants, maître Garrett ? demanda un des techniciens.

— Oui, merci.

Suivit un bruit de caoutchouc qui claque et crisse.

— Vous ne m'avez quand même pas appelé pour mener l'instruction parce qu'un gogo est mort d'une crise cardiaque pendant qu'il visionnait les films maison, j'espère !

— On l'avait ligoté, précisa Reese.

Garrett se tourna vers le lit et se dérida, relativement satisfait. Son affaire commençait à prendre tournure.

— Bon, je comprends mieux. Expliquez-moi tout.

Reese eut un petit rire grivois et blagua :

— Je veux bien essayer, mais ce sera du théorique. Pour le sado-maso, je manque de pratique...

Griffin intervint :

— Il avait la peau salement mâchée aux poignets. Comme sciée par une corde.

A ce moment-là, l'un des techniciens, agenouillé près de la table de chevet, éleva un petit fouet à lanière de cuir tressé ainsi qu'une poire à lavement et les glissa dans un sac en plastique en faisant la grimace. Il ramassa ensuite un objet métallique couleur argent qu'il étudia avec curiosité. Constitué de deux cercles concentriques, il était pourvu d'un écrou qui faisait saillie sur un côté et qui ressemblait beaucoup à un petit étau à vis.

— Y a quelqu'un qui sait ce que c'est, ce truc ? demanda l'homme.

Tous les regards convergèrent vers l'objet mais c'est Garrett qui annonça :

— Une pince à bout de sein.

— Une quoi ?

— Une pince à téton, répéta le substitut.

Le technicien éclata de rire.

— Comment ça se fait que vous savez ça, vous ?

— Il est de L. A. Los Angeles, c'est la capitale du S.-M., spécifia Reese en rigolant à son tour.

Garrett se contenta de hausser les épaules :

— Il se trouve que je me tiens informé, c'est tout.

Ce qui déclencha un éclat de rire général. Le technicien tournait et retournait la pince afin d'en deviner le fonctionnement. Il finit par demander le mode d'emploi.

— On s'en fout. Contente-toi de le mettre dans le sac.

— Un truc de malade ! râla le technicien en le glissant dans la poche.

— Vous me disiez que Marsh avait les poignets sciés ? poursuivit Garrett en se tournant vers Griffin.

— Ouais. M'est avis qu'il était dans le sado-maso. Ça fait cinq fois que je visionne la vidéo et ça y ressemble drôlement.

Garrett regarda plus attentivement l'écran. Griffin avait raison : on lisait la peur dans le regard de Marsh tandis qu'il se débattait. Étant donné l'angle de la caméra, ses mains restaient invisibles. On ne lui voyait que le visage et la plus grande partie du corps. L'aurait-on ligoté au lit ?

Garrett réprima un grognement de dégoût. Il n'arrivait pas à comprendre que le sado-masochisme puisse en fasciner certains. Pour lui, le sexe, ça donnait beaucoup de plaisir ; la douleur n'y jouait aucun rôle. La douleur s'opposait au plaisir ; ils n'avaient rien de compatible.

La caméra capturait par à-coups le visage de la fille, lorsqu'elle se tournait vers l'objectif pour le regarder, comme si elle se rendait compte qu'on la filmait. Un morceau de roi, pour sûr, et Garrett se surprit à rêver...

Il se détourna du poste pour regarder les techniciens passer l'aspirateur, ramasser la poussière et même utiliser un tube laser de poche afin de déceler des empreintes invisibles à l'œil nu.

Tout en attendant qu'on en ait terminé avec la collecte d'indices, il se gorgea de la somptuosité ambiante. Comme au rez-de-chaussée, le mobilier de prix était de grand luxe. Le bon goût de cet homme se retrouvait dans la teinte des tentures, dans le motif de la tapisserie et jusque dans les toiles accrochées aux murs.

Quand le pourtour du lit eut été passé au peigne fin, il s'en approcha pour scruter les draps en satin d'un blanc crémeux, les oreillers, le cadre du lit, les hautes colonnes de bois, sans oublier le matelas. Ce furent les montants du lit qui l'intriguèrent. Il y promena ses doigts toujours gainés de caoutchouc et fit signe au photographe.

— Vous voudriez me faire un cliché de ces rainures, Harry ?

Le photographe s'approcha.

— Où ça ?

— Ici, creusées dans le bois, dit Garrett en lui désignant l'endroit sur les colonnes.

Harry scruta attentivement ces marques pour mieux orienter ses spots.

— On dirait qu'elle lui a fait mordre le bois.

Mais Garrett secoua la tête.

— Ce ne sont pas des cordes qui lui ont entamé la chair des poignets. La fille lui avait passé des menottes.

Un grand silence s'abattit sur la chambre. Tout le monde plissait les yeux et tendait le cou pour apercevoir les marques qui rayaient les poteaux.

— Je croyais qu'il y avait que les gonzesses qui aimaient se faire attacher, commenta Griffin.

— Et si elle l'avait tué par abus de fornication ? suggéra Garrett. Souvenez-vous de Rockefeller.

Pas de réponse. Les inspecteurs en étaient encore à réfléchir au coup des menottes. Le substitut venait de découvrir l'élément qui permettait aux diverses étapes du scénario de s'emboîter : ligoté au lit, Marsh se trouvait entravé dans ses mouvements. C'est pour ça que ses mains n'apparaissaient pas sur l'écran. Et s'il était allongé là contre son gré, impuissant, ruant et se débattant pendant que la femme le violait avec lenteur, en se servant de son corps à elle comme d'une arme ? Jusqu'à ce que...

Et si elle l'avait bel et bien baisé à mort ?

— Qui a découvert le corps ? demanda Garrett.

— Sa secrétaire, en venant chercher des documents, ce matin, répondit Reese. Ça lui a flanqué un coup. Vous voulez lui parler ?

— Elle refuse de lever le camp, précisa Griffin. Peut-être qu'elle a peur qu'on lui fauche la vidéo !

— Je la comprends, plaisanta Garrett.

Le regard de Reese se détacha du substitut tandis qu'il hochait la tête. Garrett se tourna. Il y avait une femme sur le seuil. Elle fixait l'écran de télévision, mâchoires crispées, les yeux rougis d'avoir trop pleuré.

— Voulez-vous que je l'identifie ? dit-elle d'une voix chargée de violence. Il s'agit de Rebecca Carlson.

Saisissant le signal de Garrett qui, très gêné, fronçait les sourcils en direction de l'écran, l'inspecteur Griffin revint au magnétoscope, manipula les boutons pour tenter d'éteindre. Il finit par trouver le bon. L'image disparut.

Reese se pencha pour chuchoter à l'oreille de Garrett :

— Rebecca Carlson, c'est la petite amie de Marsh. D'après miss Braslow que voici, ils avaient rendez-vous, hier soir. Que je vous présente miss Joanne Braslow, dit-il, plus fort.

Il ajouta à l'adresse de la secrétaire :

— Je vous présente Me Bob Garrett, le substitut du district attorney. C'est lui qui va se charger de l'enquête.

Miss Braslow fixa Garrett d'un air chargé de sous-entendus. Il la salua de la tête.

Elle était attirante avec ses cheveux d'un brun riche, le bel ovale de son visage aux pommettes hautes, au regard agréable malgré des yeux bordés de rouge et gonflés de larmes contenues.

— Miss Braslow est la secrétaire de M. Marsh depuis six ans.

— C'est elle qui a découvert le cadavre ?

— Exact.

— C'est elle qui l'a tué ! s'écria brusquement la jeune femme.

Mais les larmes qui ruisselèrent sur son visage la contraignirent à se retirer. Reese annonça en riant à Garrett :

— Si elle a joué les voyeuses, vous l'avez, votre premier témoin.

Garrett poursuivit Joanne Braslow. Elle était sortie sur le balcon. La pluie avait laissé place

21

à une bruine dont on entendait la course étouffée sur la toiture.

Joanne fixait le vide, la prunelle étrécie par la colère, et elle s'agrippait si violemment à la balustrade que ses articulations en blanchissaient. Assez mignonne, elle était maquillée et vêtue avec une trop grande sobriété. Il la supposa plutôt guindée, voire inhibée, et ce qu'elle avait vu son patron faire avec la blonde avait dû l'écœurer.

— Qu'est-ce qui vous donne à penser qu'il n'est pas mort de mort naturelle ? lui demanda-t-il, prenant une voix douce, apaisante.

— C'est la situation dans son ensemble qui n'avait rien de naturel, dit-elle sans le regarder. Vous avez vu la fille !

Il attendit. Elle finit par se planter face à lui.

— Non. Ce que j'ai vu, c'est une bande vidéo, sans plus.

— Eh bien, l'habit fait le moine, lâcha-t-elle, les dents serrées.

Garrett prit le temps de respirer profondément, puis :

— Je ne suis pas devin, mademoiselle. Si vous avez des révélations à me faire, j'aimerais bien...

— Mais il avait soixante-trois ans ! C'était trop, pour un homme de son âge. Elle l'épuisait littéralement. Est-ce assez clair ?

Il darda son pouvoir de concentration sur le regard de cette femme. Un regard saturé de mépris. Elle n'avait manifestement rien à déclarer, en dehors de l'animosité qu'elle nourrissait pour la fille de la vidéo. Pas bien intéressante, comme témoin, en définitive.

— Eh bien... merci de m'avoir communiqué votre vision de la situation.

— Vous avez beau ne pas considérer cela comme un crime, maître, c'en est un.

Sur ce, elle le précéda et rentra à l'intérieur.

Garrett resta sur le balcon une minute, absorbé par ses réflexions. Jusqu'à présent, cette mort n'avait pas grand-chose à voir avec un meurtre. Une bonne partie de jambes en l'air, gadgets à l'appui, probablement. Le seul élément étrange, c'est Reese qui l'avait mentionné : pourquoi avait-on laissé la cassette vidéo dans le magnétoscope ? Pour désigner la coupable à la police ? Pour qu'on en déduise bien que Marsh s'était fait ligoter au lit ?

Était-il seul, au moment de sa mort, à se visionner d'anciennes parties fines ? La fille du film était-elle présente lors de sa mort ? L'y avait-elle aidé ? Pourquoi se serait-elle enfuie sans appeler au secours ni signaler le décès ?

Et surtout, dans quel but aurait-elle laissé la cassette dans le magnétoscope ?

Une multitude de questions à élucider. Comme toujours dans ce genre d'affaire...

2

La lecture du verdict achevée, Me Frank Dulaney assena une tape amicale sur l'épaule de son client. Ensuite il gagna le banc des jurés auxquels il serra la main. Il leur exprima ses remerciements les plus chaleureux.

Quand il regagna la table qu'il avait occupée en tant qu'avocat de la défense, son client, très ému, lui ouvrit les bras et l'étreignit, lui donnant ainsi publiquement témoignage de sa gratitude.

Il était petit et plus âgé que Frank. Cela ne l'empêchait pas de posséder la force d'un Hercule et une haleine de cow-boy. Mal à l'aise, Frank lui tapota le dos. Puis leva les yeux. Son regard tomba sur Bob Garrett, son adversaire dans ce procès. Le substitut du D.A. dissimulait très mal sa déception d'avoir perdu. Il lorgnait Frank d'un air venimeux. Frank se contenta de hausser les épaules.

La salle du tribunal de Portland ressemblait à des milliers d'autres salles d'audience américaines. Fonctionnelle, aseptisée, d'une froideur intentionnelle, c'était le cadre où l'on jugeait les affaires qui n'avaient pu se régler au tribunal de police. Le substitut du D.A., après avoir instruit le dossier de l'accusation, y attaquait ceux qui s'obstinaient à plaider non coupable ; l'avocat de la défense, lui, les défendait ; quant au jury, il tranchait de façon impartiale sous l'œil du juge qui présidait au procès.

Cette salle comportait deux tables de bois nu, l'une pour l'accusation, l'autre pour l'avocat de la défense. Plus une pour le greffier. Dans leur dos, derrière une rampe de bois ciré, des bancs étaient réservés aux parents, amis et simples spectateurs.

A droite, calé dans le coin, le banc des jurés, constitué de douze chaises en bois dur, très inconfortables si le procès jouait les prolongations.

A un bureau légèrement surélevé sur une estrade siégeait le juge. De part et d'autre se déployaient le drapeau des États-Unis ainsi que celui de l'Oregon.

De tous côtés montait une profusion d'odeurs : désinfectant, eau de Cologne, parfum, cire à meubles... auxquelles se mêlait l'odeur de sueur rance qui émane des êtres qui risquent l'emprisonnement et même la peine de mort.

Tandis que les jurés et le public sortaient du tribunal à la queue leu leu, Garrett se leva avec colère. Le raclement de sa chaise sur le sol de marbre se répercuta dans la salle d'audience presque vide. Il flanqua ses dossiers dans sa serviette dont le fermoir claqua avec un bruit sec. Dans son visage empourpré, le regard flamboyait encore d'une rage évidente.

Me Dulaney sourit intérieurement. Il lâcha quelques mots à son client et le renvoya à ses affaires. A son tour de ranger ses dossiers dans son attaché-case.

Garrett était un substitut très respecté. Dulaney, l'un des meilleurs avocats indépendants spécialisés dans le pénal à Portland, l'avait souvent pour adversaire quand il plaidait pour des affaires criminelles. A peu près du même âge, ils étaient tous deux ouverts, et d'un abord relativement facile. Mais à partir de là, leur personnalité divergeait.

Obsédé par son apparence, Garrett était toujours sur son trente et un. Était-ce pour oublier qu'il avait connu la pauvreté ? se demandait Frank.

Si Frank Dulaney n'avait pas à rougir en se regardant tous les matins dans la glace, la nature ne l'avait cependant pas gratifié du charme naturel de Garrett. Il avait les traits moins réguliers, le visage carré, une forte mâchoire et une très grande bouche. Sa voix sonore était plus grave d'une octave que celle de Garrett; l'expression rêveuse du regard lui valait de la part des femmes des coups d'œil fréquents et admiratifs. Pas le genre d'œillades lourdes de désir que récoltait Garrett, mais des œillades quand même.

Lorsqu'ils s'affrontaient, Garrett soutenant ceux qui avaient porté plainte, Dulaney défendant l'accusé, ils le faisaient avec une compétence, un professionnalisme du meilleur aloi. Jusqu'au fameux « marchandage » qu'ils réglaient la plupart du temps sans trop de difficulté.

Aux États-Unis, en effet, pour éviter à l'État des frais de procès et de jury très coûteux — et quand tout prouve que l'accusé risque une peine très grave —, le substitut essaie de négocier avec l'avocat de la défense pour pousser cet accusé à plaider coupable. L'affaire passe ensuite devant le simple tribunal de police, sans les jurés : il y a ainsi économie de temps et d'argent. En contrepartie, pour remercier l'accusé d'avoir permis cette économie à l'État, le substitut promet de réduire au maximum la peine encourue. Cette pratique du « marchandage », très répandue, évite neuf fois sur dix le grand procès et donc l'engorgement des tribunaux.

Mais avant ce procès, Mᵉ Garrett n'avait pas réussi à gagner son « marchandage » avec Frank Dulaney. Dans cette affaire qu'il venait de remporter, l'avocat de la défense avait encouragé son client à plaider non coupable et à l'issue d'un grand procès, il avait obtenu l'acquittement.

Victoire qui avait manifestement humilié Garrett.

La salle d'audience était maintenant déserte. Les deux avocats s'engagèrent de concert dans l'allée centrale. Garrett se retourna vers son adversaire, un sourire forcé aux lèvres.

— Tu as eu de la veine, Frank...

C'était dit mine de rien, sans rancune apparente, mais Frank savait pertinemment qu'il lui en cuisait encore. Ça passerait...

— Tu ne vas pas prendre ça comme une offense personnelle, Bob, quand même !

— Non. Je me borne à te dire que tu as eu de la chance.

— Eh bien il ne me reste plus qu'à remercier ma bonne étoile.

Garrett le sonda du regard.

— Tu ne regrettes jamais de ne plus défendre la bonne cause ?

Frank, comme Garrett, après ses études de droit, avait été lui aussi substitut du district attorney. Lui aussi il avait été du côté de ceux qui portent plainte et, après en avoir vérifié le bien-fondé, avait mené les enquêtes afin de prouver la culpabilité des accusés. Mais à la différence de Bob Garrett, las des chinoiseries de l'administration et de la politique, Frank avait décidé de démissionner pour monter son pro-

28

pre cabinet. Il avait certes connu quelques années de vaches maigres mais comme il remportait presque toujours ses procès, la rumeur s'en était vite propagée. Et ses revenus annuels, désormais, dépassaient le montant cumulé de ce qu'il gagnait autrefois en dix ans.

Et Frank en profitait pleinement.

— Écoute, mon vieux, ce sont les jurés qui viennent de décider que la bonne cause, c'était celle que je défendais.

Garrett hocha la tête :

— La bonne cause sur le plan du portefeuille, sûrement.

— Chacun ses avantages... Moi, on ne m'offre pas des séances de cinéma gratuites, pendant les heures de travail, plaisanta Frank. Je ne commence pas la journée avec des vidéos porno.

Du coin de l'œil, il surveillait Garrett qui ne parvint pas à réprimer un sourire. Dans le monde de la justice de Portland, les secrets s'éventaient vite...

— Ah ! Je vois que tu as entendu parler de cette histoire !

— Oui. Et j'espère bien obtenir une édition pirate de la vidéo !

A cette remarque, Garrett retrouva tout son sérieux :

— Je n'ai pas l'intention de faire la distribution, dit-il avec fermeté.

— Les gardes du palais de justice l'ont sûrement tous vue. On parie ?

— C'est ce qu'on verra, rétorqua Garrett.

Et une fois franchies les portes de la salle d'audience, il s'en fut d'un pas déterminé qui ponctuait cette remarque lancée à la volée.

De retour à son cabinet, Frank fut accueilli par une ovation dès le vestibule. C'était un local de belles dimensions, étant donné l'espace que peut généralement s'offrir un avocat qui travaille en solo. Moderne et chaleureux, aussi, avec ses grandes baies qui donnaient sur la rivière.

Garrett disait vrai : ça payait vraiment mieux d'être avocat au pénal à son compte. Ça se déduisait aussi au luxe de la décoration : depuis les moquettes où les pas s'enfonçaient, les revêtements muraux raffinés, jusqu'aux éclairages indirects montés dans le plafond. Y compris le matériel de bureau uniquement haut de gamme. Rien d'ostentatoire chez Me Frank Dulaney, mais du solide.

De part et d'autre d'un large couloir moquetté, chacun dans son alcôve, œuvraient les juristes salariés, les secrétaires, un étudiant en capacité, deux clercs et un détective à plein temps. La danse des doigts sur les claviers d'ordinateurs se mêlait au vrombissement atténué des photocopieurs et à la sonnerie assourdie des téléphones.

Une vie frémissante émanait de ce cabinet d'avocat aussi prospère que sollicité et c'était ça qui plaisait à Frank. Il est bon de laisser se propager la rumeur de la prospérité : la réussite engendre la réussite. Que cette réussite soit palpable constituait un plus en soi.

Gabe Weider, l'un des juristes salariés de Frank et le plus jeune dans la maison, jubilait de ce verdict à porter à l'acquis du cabinet. Son enthousiasme ne connaissait plus de limites.

— Il paraît qu'il vous a fallu moins d'une heure pour mettre les jurés dans votre poche, s'extasia-t-il.

Car Frank était son idole, son mentor, l'homme qui provoquait en lui une émulation à nulle autre pareille.

— Quarante-trois minutes exactement, spécifia Frank.

De son alcôve située de l'autre côté, le détective de la firme, Charlie Biggs, qui avait le téléphone collé contre son oreille, en boucha le micro pour beugler :

— Un nouveau record !

Frank lui fit un grand sourire. Oui, un nouveau record, une victoire retentissante. Et il pénétra dans son bureau le poing levé, sous les acclamations redoublées.

Il s'agissait d'une pièce spacieuse, située à l'angle du bâtiment, d'où on avait vue à la fois sur la rivière et sur la moitié de Portland. Frank Dulaney abandonna son attaché-case sur un

fauteuil et suspendit son pardessus dans le placard.

Sa secrétaire particulière, la cinquantaine
très vive, posa calmement une liste de messages
téléphoniques sur sa table de travail, se conten-
tant d'un « Félicitations ! » plein de sang-froid.

Frank avait l'habitude de ses façons posées.
Jamais elle ne faisait chorus avec ses supporters.
Non qu'elle eût une dent contre le patron. Cette
absence de ferveur en cas de victoire ne signifiait
pas que la dame n'était pas dans son camp.

Au contraire, elle lui était tout acquise.

— Merci.

Il suspendit également son veston et desserra
son nœud de cravate.

— Des messages importants ?

— Il y en a, oui, dit-elle en désignant un nom
sur la liste. L'avant-dernier. Rebecca Carlson.
L'amie d'Andrew Marsh.

Biggs, qui en avait terminé avec son coup de
fil, se tenait sur le seuil. Il avança la tête et
expliqua :

— C'est la poule de la bande vidéo.

Frank le dévisagea, sidéré.

— Comment le savez-vous ?

Biggs haussa les épaules en une désinvolture
feinte.

— Un tuyau d'un des gardiens du palais de
justice.

Frank éclata de rire. Si Garrett l'apprenait, il
en deviendrait vert de rage.

— Pour de vrai ? Ils l'ont visionnée ?

Biggs fit oui de la tête, y allant même de ses commentaires :

— Paraît qu'ils ont même drôlement crâné, là-bas, en la montrant. Moi, si vous voulez savoir, les Blancs, ils me dépassent. Enfin je sais pas, moi, ce vieux, il croyait vraiment qu'il allait pouvoir tenir le coup avec une jolie p'tite môme comme ça ?

Frank s'assit à son bureau et se pencha en avant.

— Renseignements pris, il a bien assuré, pendant un temps.

Biggs secoua la tête.

— Désolé, patron. Jamais entendu dire qu'un type y soit mort d'avoir bouffé trop de chatte.

Frank jeta un coup d'œil à sa secrétaire. Biggs aussi. Elle avait le visage écarlate et les lèvres pincées. Cette détresse arracha un grand éclat de rire à Biggs. Il assena une claque dans le dos de la malheureuse. Pas moyen de la dérider. Frank tenta alors de la caresser dans le sens du poil :

— Ce qu'on leur apprend, quand même, aux étudiants de l'université de New York...

Pas moyen de la décoincer.

Mieux valait détourner la conversation :

— Qu'est-ce qu'elle vous a raconté ?

— Qui donc ?

— Miss Carlson.

— Ah... Elle demande s'il vous serait possible

d'assister aux funérailles qui ont lieu aujour-
d'hui. Au cas où il y aurait un problème.

— Quel problème ?

— Elle pense déjà avoir besoin d'un avocat,
commenta Biggs.

— Et moi j'adore les clients qui vous tombent
tout cuits dans le bec ! Qu'est-ce qui se dit de
cette affaire, en ville ? Y a-t-il un chef d'accusation retenu contre miss Carlson ? La police a-
t-elle lancé un mandat d'arrêt ?

— On prétend que Garrett est persuadé de sa
culpabilité, qu'il va la faire arrêter. C'est plus
compliqué qu'il y paraît.

— Je vois...

— Je lui ai répondu que vous étiez au tribunal, poursuivit la secrétaire.

— A quelle heure a lieu cet enterrement ?

— Il a commencé à deux heures.

L'avocat jeta un coup d'œil à la pendule
murale. Lui aussi avait entendu jaser au sujet
de Rebecca Carlson et de la mort d'Andrew
Marsh. Ce qui avait follement piqué sa curiosité.

Déjà trois heures...

— C'est faisable, déclara-t-il en se levant,
reboutonnant sa chemise et pêchant veste et
pardessus dans le placard.

— Espérons qu'il aura eu droit à un éloge
funèbre prolongé, le Marsh, lui lança Biggs.

Le cimetière se trouvait à un quart d'heure de voiture du cabinet. Quand son véhicule eut franchi les grilles en fer forgé, Frank remarqua un attroupement important dans la section ouest. « Pourvu que ce soit l'enterrement de Marsh », se dit-il.

Sous le ciel de plomb, les tombes en granit terne paraissaient abandonnées. Elles étaient nombreuses, dans cette partie la plus ancienne du cimetière, à avoir subi l'outrage des ans et la violence plus moderne de la pollution atmosphérique. Elles encombraient de leur désordre le gazon bien vert avec ses arbres plantés en position stratégique. Des paniers verts bourrés d'un assortiment de fleurs en plastique aux couleurs criardes affublaient certaines d'entre elles.

D'autres sépultures donnaient dans l'ostentatoire. Il s'agissait de mausolées de style ornemental avec nom du défunt gravé en capitales gothiques sur un fronton circulaire surmontant une lourde porte en chêne. Hommage inutile destiné au seul apaisement des vivants.

Frank roulait bien vers la tombe de Marsh. Il croisa les équipes de télévision en train de remballer leur matériel dans les camionnettes garées dans une allée. Eux avaient en boîte le film nécessaire pour le bulletin d'informations du soir ; quant à l'enterrement, il suivait son cours, hommage prolongé comme il convient à un homme de la réputation de Marsh.

Le nom de Marsh apparaissait fréquemment dans la rubrique mondaine des journaux. Généralement les photos le montraient en smoking en train de tendre un chèque au grand chef d'une cause méritante. Si sa vie privée était terriblement agitée, la presse la mettait en sourdine, pour protéger au mieux son image de marque.

A l'occasion de sa mort, la bonne ville de Portland le montrerait sous son meilleur jour.

En se rapprochant de l'emplacement, Frank trouva une file de voitures de maître lavées et astiquées de frais, parmi lesquelles des limousines interminables ; le chauffeur en uniforme patientait tranquillement derrière le volant. Au bord de la tombe, la foule des endeuillés, creusant les épaules, s'agglutinait comme pour se protéger de la morsure du vent pendant qu'un pasteur marmonnait son discours.

Oui, il s'agissait bien de l'enterrement de Marsh.

Par la force des choses, Frank ne put se garer qu'à une centaine de mètres. Il coupa à travers une forêt de pierres tombales, puis ralentit l'allure et marcha droit sur le rassemblement. Tout en s'approchant, il ouvrait l'œil et dressait l'oreille : le pasteur attaquait sa péroraison d'une voix que les rafales de vent faisaient fluctuer.

Il arriva enfin à la périphérie du groupe et tendit le cou pour mieux voir ce qui se passait.

On était en train de descendre le cercueil dans la tombe avec force grincements de poulies. Certains lançaient dessus une fleur pendant que d'autres amis du défunt pleuraient doucement dans leur mouchoir. Il y avait aussi les stoïques aux traits impassibles, aux yeux secs. Mais ils arboraient tous les couleurs de l'affliction — gris ou noir. Certains étaient en pardessus ; d'autres, plus téméraires, affrontaient le mauvais temps en costume.

Frank balayait la scène du regard, cherchant un visage aperçu au journal télévisé. Il vit une femme, les traits bouleversés de chagrin, les paupières gonflées de larmes. Elle dardait une prunelle hostile sur une silhouette, de l'autre côté de la tombe. Frank suivit son regard et repéra celle qui monopolisait l'attention de la pleureuse : une jeune femme qui se tenait très droite dans sa robe noire de coupe élégante, sa chevelure blonde et lisse agitée par la brise ; tête baissée, elle semblait perdue au monde, inconsciente de tant de haine. Frank n'arrivait pas à voir son visage. Il demanda à l'un de ses voisins :

— Rebecca Carlson, c'est laquelle ?

L'homme le dévisagea puis lui désigna la blonde. Frank avait visé juste.

L'enterrement s'achevait. Parents et amis du défunt prirent le chemin du retour, certains après avoir présenté leurs condoléances à l'éplorée au regard chargé de haine. Nul n'adressa la parole à la blonde. Et la foule finit par se disperser, laissant la blonde seule avec ses pensées.

Frank s'avança. Elle se tamponnait les yeux de son mouchoir. Lorsqu'elle se retourna, elle le remarqua aussitôt.

Frank reçut sa beauté en plein cœur. A couper le souffle. Littéralement.

C'était la perfection incarnée. Les yeux, le teint, le nez, les lèvres : dans ce visage exceptionnel se mariaient les traits les plus délicats. La rumeur prétendait aussi que la belle robe cachait un corps tout aussi remarquable... Quant à ceux qui avaient visionné la vidéo tristement célèbre, ils considéraient cette femme comme une bête de sexe.

Tout à coup, il eut rudement envie de la voir lui aussi, cette bande vidéo.

Un tel face à face, dans ce cadre solennel, le rendait étrangement muet tant ce qui émanait de cette femme surpassait la beauté même. C'était comme si ce regard le forait jusqu'à l'âme, le laissant nu, ouvert pour l'autopsie.

— M... miss Carlson ? bégaya-t-il. Excusez-moi pour ce retard. Je... je suis...

— Frank Dulaney, acheva-t-elle à sa place.

— Frank Dulaney, oui. J'ai tant que ça l'air d'un avocat ?

— Qui d'autre accepterait de m'adresser la parole ?

Réponse chargée d'amertume prononcée

d'une voix envoûtante au timbre assuré, plein de force. Elle ajouta, très vite :

— Ses amis réprouvent jusqu'à ma présence à son enterrement.

Totalement renversé par cette fille splendide, Frank ne s'était pas même rendu compte qu'il la contemplait bouche bée. Gêné, il détourna les yeux, remarquant seulement les regards fixes des dernières personnes qui remontaient dans les voitures. Claquement élastique des portières, vrombissement de moteurs jusqu'à ce que les pneus s'arrachent au bitume en crissant. Puis ce fut fini.

Lorsque son attention se reporta sur Rebecca, la jeune femme s'éloignait en direction de la chapelle du cimetière. Cette imposante construction en pierre s'ornait de vitraux qui, dans la pénombre croissante, brillaient de tous leurs feux comme une ribambelle de phares multicolores.

En quelques pas pressés, il l'eut rejointe. Elle marchait avec détermination, tête haute, redressant le buste en une attitude de défi, le regard sur la ligne d'horizon.

— Ce ne sont pas ses amis qui vous posent problème, hein ?

Elle stoppa net, plongea le regard au fond du sien, un regard dont la profondeur le saisit, le déconcerta.

— Voulez-vous être mon avocat ?

Tel que. Très pro. Pas du genre à se perdre en phrases inutiles.

— Il n'y a aucune charge qui pèse sur vous.

— Mais ça ne va pas tarder, répliqua-t-elle. Vous le savez bien. Et vous, vous croyez que je l'ai tué ?

Déconcertante, cette façon d'aller droit au but.

— Jamais je ne pose cette question à ceux qui viennent me demander de les défendre. Ce n'est pas moi qui cherche à savoir si mon client est coupable. C'est le D.A. D'ailleurs même devant le grand jury, l'accusé est considéré comme innocent jusqu'à la dernière minute du procès. Il bénéficie toujours de la présomption d'innocence. Pour vous accuser, le D.A. devra trouver un motif raisonnable. La seule chose qui compte, c'est de savoir si lui parviendra à prouver que vous l'avez tué... Moi, je me borne à démolir les arguments de l'accusation.

Frank se garda bien de lui spécifier que le substitut du D.A. envisageait déjà de retenir des charges contre elle. Qu'est-ce qui pouvait bien faire redouter à Rebecca qu'on trouve matière à procès ? Sa conscience la tourmentait-elle, pour prendre un avocat aussi vite ?

— J'étais très amoureuse d'Andrew.

— Ne vous sentez pas obligée de m'en convaincre.

— Pourquoi est-ce si difficile à croire ?

Pourquoi, en effet ? Sûrement parce qu'on a

tendance à juger de façon simpliste quand la presse vous met sous la dent des histoires à sensation. On élimine les zones d'ombre pour ne trancher qu'en fonction de préjugés, de partis pris.

Jeune et belle, cette fille ne reculait pas devant les audaces en matière sexuelle. De trente ans son aîné, Andrew Marsh était un homme d'affaires respecté doublé d'un philanthrope. Avant tout, il était richissime. Conclusion : la fille n'était qu'une aventurière qui n'en voulait qu'à son argent. Sinon, pourquoi aurait-elle perdu son temps en compagnie de cet homme ?

A quoi bon lui cacher la vérité ? songea Frank. S'il se chargeait de sa défense, autant la mettre au courant de ce qui se racontait, des montagnes de puritanisme qu'il faudrait renverser.

— Vous savez bien pourquoi c'est difficile à croire... Une femme jeune et belle, qui a une liaison avec un homme riche bien plus âgé qu'elle...

— Pour moi, il n'était pas vieux, dit-elle d'une petite voix.

— Pardonnez-moi d'avoir dit ça.

Le pire, c'est qu'il le regrettait vraiment. Qu'il l'avait tout de suite regretté. Drôle de réaction. Ce devait être son charme...

— Je viens d'enterrer un pan important de ma vie, maître. Vous devriez comprendre.

Brusquement, il eut honte.

Bien sûr, dès le premier coup d'œil, il avait

senti la brûlante sexualité qui jaillissait d'elle. La sexualité qui sortait par tous les pores de ce corps sans défaut. Elle était nimbée de cette aura, sorte d'enseigne au néon qui le criait à tous vents.

Comme tout le monde, Frank n'avait retenu que l'évident : c'était une bombe sexuelle, une perverse qui s'amusait à filmer ses ébats. Comme tout le monde, il l'avait jugée avant de l'avoir entendue plaider sa cause. Mais à la différence des autres, il regrettait maintenant d'avoir succombé à une facile malveillance.

De nouveau elle l'observait. Et cette étrange sensation grandissait en lui, attraction presque hypnotique qui n'avait aucun sens...

— Vous avez raison, je devrais comprendre, admit-il d'une voix presque imperceptible.

— Je vous assure que je ne l'ai pas tué, affirma-t-elle.

Frank Dulaney aurait tant aimé pouvoir la croire...

3

— Alors là, je ne comprends plus ! se récria Frank. Je défends à longueur de journée des assassins, des trafiquants de drogue, la lie de la terre, en somme. C'est mon métier. Jusqu'à présent tu l'as accepté. Et tout d'un coup, tu prends le prétexte de cette femme qui n'est pas encore accusée de meurtre pour me décocher tes flèches ! Pourquoi tu en fais toute une histoire ?

— Je n'en fais pas une histoire, se défendit Sharon, son épouse. Simplement tu vas jouer le rôle du dindon de la farce si tu prends cette fille pour cliente. Je le sens venir. Et ça me démoralise de te voir sur la pente savonneuse.

— Ça alors ! Mais qu'est-ce qui peut bien te pousser à dire des énormités pareilles ?

— Cette fille ne l'aimait pas.

Les traits de Frank s'en affaissèrent.

— Bon sang, mais comment le sais-tu ?

Sharon Dulaney dévisagea son mari et poussa un grognement désapprobateur :

— Quoi ? Tu l'as crue quand elle t'a dit en être amoureuse ?

— Eh ! parbleu que je l'ai crue, oui !

— Ton sentimentalisme te perdra.

La remarque le blessa.

— Absolument pas ! Simplement je sais détecter les bobards quand on essaie de me les faire gober. Et là, ça n'en était pas un.

— Vraiment ? s'étonna-t-elle, haussant les sourcils.

— Vraiment, oui. Comment peux-tu affirmer qu'elle ne l'aimait pas sans les avoir vus ensemble ?

— Il était trop vieux, intervint Michael de sa voix grêle.

Frank fit les gros yeux à son fils ; Sharon, elle, eut un sourire triomphant.

— Parfaitement !

Frank préféra orienter son attention vers la rue sur laquelle donnait la fenêtre du café.

Affaire commerciale en or, dont la réussite frisait le délire, tel était en effet ce café-galerie, propriété de Sharon. Rendez-vous de prédilection du Tout-Portland, à la différence de ces lieux branchés qui séduisent un temps une clientèle volage, le café de Sharon ne se démodait pas.

Les écrivains connus qui participaient à la promotion de leur livre insistaient pour venir y signer leur dernière œuvre. Autant les auteurs du cru que ceux qui s'étaient forgé une célébrité à l'échelon national. Ils acceptaient même parfois d'en donner lecture.

Sur l'un des murs, en brique nue, des lithographies, des œuvres signées par les clients, aussi. Une rampe de spots diffusait une lumière tamisée, chaleureuse, sur cette collection d'œuvres d'art. Chaleur ambiante renforcée par l'arôme délectable du café premier choix et de mets de qualité.

Livres et cuisine choisie ne participaient que pour une part à la vogue de l'établissement. Car la majorité de la clientèle, loin de nourrir un amour exclusif pour les livres, ne venait que pour voir et être vue là où ses pareils choisissaient de paraître. Or depuis quelques années, il fallait être vu au café de Sharon.

Le local ne désemplissait pas d'une clientèle qui adorait papoter et il fallait généralement hausser la voix pour se faire entendre dans ce brouhaha. On y parlait travail, vie amoureuse, on y égrenait ses espoirs et ses rêves, on y échangeait ses impressions, discutant politique, religion, habitudes d'amour. Et cela n'arrêtait pas.

Frank aperçut, dehors, les fidèles qui faisaient patiemment la queue en attendant que se libère la place convoitée au bar ou, mieux encore, à une table. Ils s'asseyaient sur les bancs de bois pareils à ceux que l'on voit dans les parcs ou restaient debout, agglutinés devant l'entrée, à bavarder, à regarder de temps en temps par la vitre.

Frank, lui, avait sa table attitrée. Ce privilège, il le devait à sa qualité d'époux de la propriétaire. Brillant chef d'entreprise et bourreau de travail, Sharon se doublait en effet d'une très bonne épouse. C'était une mère parfaite pour leur petit Michael, dix ans, enfant très avancé pour son âge.

Ils formaient un couple solide, malgré le stress qui ronge tous ceux qui travaillent pour gagner leur vie, malgré les tensions exacerbées par leur personnalité de battants lancés de concert dans la course à la réussite.

Frank et Sharon s'étaient adaptés à leur emploi du temps respectif qui les tenait la plupart du temps éloignés. Sharon ouvrait à dix-huit heures et restait jusqu'à la fermeture, à deux heures du matin. Elle dormait encore lorsqu'il fallait que Frank se lève et se prépare pour son travail.

Quant à Michael, le père et la mère se partageaient son éducation. Aussi, si fréquemment en tête à tête avec chacun de ses parents, cet enfant déjà précoce grandissait beaucoup trop vite au goût de son père.

Frank considérait que le petit Michael, avec l'intelligence héritée de sa mère et le cran de son père, tenait du jeune adulte plus que du garçonnet. Sharon, elle, ne se rongeait pas d'angoisse au sujet du bien-être de Michael ; elle trouvait oiseuses les inquiétudes de Frank. Un enfant qui travaille bien à l'école, qui a de nombreux copains, qui se montre bien élevé, qui ne tombe guère malade... Avec un QI de 140, à savoir largement au-dessus de la moyenne, elle considérait que son fils s'en tirerait toujours.

Sharon était jolie fille avec ses cheveux roux cuivré, son regard profond. Elle aimait les fripes, les vêtements d'un autre âge et les feutres. Elle les portait sans affectation, avec autant de naturel qu'une autre le T-shirt ou le jean. Mieux : ces tenues la flattaient. Elles rehaussaient cette créature en perpétuelle ébullition. Car ce qui distinguait Sharon des autres femmes, c'était son amour frénétique de la vie. Elle rayonnait. Constamment. Pleine d'élan et d'ambition, le fait de posséder cette affaire incroyablement prospère redoublait encore son énergie.

Elle était en train de déguster son café. Elle se penchait par-dessus la table pour mieux papoter avec son mari qui venait d'accepter la clientèle de cette Rebecca Carlson qui faisait jaser tout Portland. Et cela ne l'enchantait absolument pas.

Au journal télévisé du soir, on n'avait vu que le visage de cette Rebecca. Toute la ville connaissait les détails lubriques de ses ébats avec le défunt. C'est en rinçant ses verres, à six heures du soir, que Sharon avait entendu mentionner le nom d'Andrew Marsh aux informations. Elle connaissait l'homme. Il était venu deux fois au café, chaque fois avec une femme différente, jamais Rebecca Carlson. Au premier coup d'œil, Sharon avait éprouvé une réticence immédiate pour cette fille qui faisait la une.

Et elle était en train d'expliquer à Frank pourquoi. Sans grand succès. Lui ne prêtait pas vraiment attention à ses arguments. Comme à l'ordinaire, il avait pris sa décision sans la consulter.

Frank regarda son épouse, l'air furieux.

— Tu as une vision bien étriquée de l'amour, Sharon.

— C'est pourtant sous cet angle que les jurés jugeront l'affaire, s'obstina-t-elle.

Frank s'apprêtait à répondre quand un des habitués, un homme, au passage, posa une main un peu trop baladeuse sur l'épaule de Sharon. Relevant la tête, Sharon lui adressa un sourire radieux.

— 'Soir, Mark.

L'homme lui fit un petit signe de la main avant de rejoindre une femme déjà installée au bar. Il l'embrassa sur la bouche. Frank ne pouvait détacher les yeux de ce personnage dont la familiarité abusive avec Sharon le révoltait. A la vérité, les clients la traitaient tous avec un peu trop de familiarité à son goût.

Sharon les appelait par leur prénom. Ce qui contribuait d'ailleurs au succès du café. Son ambiance à nulle autre pareille avait été soigneusement fabriquée par Sharon qui avait un don pour la décoration intérieure. Mais le moteur essentiel en était sa forte personnalité.

Tous les soirs y défilait une pléiade de clients, la jeunesse dorée de Portland, pour la plupart jeunes loups dont les débuts dans la vie professionnelle s'avéraient prometteurs. Ils mordaient dans la vie à pleines dents. Sharon Dulaney les connaissait personnellement car elle considérait comme essentiel de mémoriser noms et visages.

Elle les adorait; ils se montraient sensibles à tant de chaleur humaine. Elle les considérait plus comme des amis que comme des clients. Ceux qui possédaient le pouvoir, ceux dont la pensée révélait intelligence et esprit, en somme l'avenir de Portland et même des États-Unis.

Et son affection, ils la lui rendaient au centuple car elle leur donnait le sentiment d'avoir de l'importance, d'être appréciés. Ailleurs, ils n'étaient que de simples clients; chez Sharon, tous étaient des VIP. Elle s'intéressait à chacun en particulier, leur posait des questions sur leurs succès, pleurait avec eux sur leurs échecs passagers.

— Avait-il de la famille?

Surpris la bouche pleine et le regard fixé sur le couple du bar qu'il étudiait sans raison particulière, Frank revint à Sharon et fit non de la tête. Puis:

— Un tas de femmes ; pas d'enfants.

Une serveuse s'approcha pour chuchoter quelque chose à l'oreille de Sharon. La jeune femme se leva de table.

— La caisse me réclame. Quelle bêtise d'avoir fait installer ce système informatique ! Tu ne pars pas tout de suite ?

Toujours la même chose, dans ce café : les affaires avaient priorité, ce qui tapait sur les nerfs de Frank. Il n'aimait pas céder la priorité à quiconque. Or, Sharon l'y contraignait.

— Je ne voudrais pas monopoliser la table, dit-il en désignant la salle bondée.

Il dit cela d'un ton un peu boudeur. Pour que son épouse l'incite à rester. Mais non. Elle se contenta de hausser les épaules, comme pour lui signifier qu'elle partageait son avis. Soudain, à l'approche d'un autre client, elle se leva et, la main sur la hanche, feignant d'être choquée, elle minauda :

— Jamie ! On passe sans me dire bonjour ?

Cela tira un rire à l'homme qui s'excusa :

— J'ai aperçu des amis.

— Dans ce cas, les amis de mes amis sont mes amis.

Arrêtant une serveuse par le bras, elle lui lança :

— La maison offre un verre à tous les convives de la table sept.

Pris d'une soudaine lassitude, comme il se sentait de plus en plus irascible, Frank déclara :

— On va rentrer à la maison.

— Ce soir, je suis obligée de faire la ferme-ture, objecta son épouse qui lui posa un baiser sur la tête, geste que Frank trouva extrêmement paternaliste.

— Pourquoi ne pas embaucher une gérante ? grommela-t-il.

Ce qui lui valut la réponse rituelle :

— Parce que si c'est moi la gérante, au moins je ne risque pas de me voler moi-même !

Réponse qui n'en était pas une. Sharon se pré-tendait indispensable mais ça ne prenait pas avec Frank. Les exemples ne lui manquaient pas de gens qui avaient réussi en sachant déléguer le pouvoir avec prudence.

Sharon, non. Dotée d'une forte volonté, elle tenait à faire les choses à sa manière et ne s'intéressait ni aux futilités de la maternité ni aux affectations de la vie conjugale. Son domaine, c'était son café. C'était elle qui y avait le pouvoir et prenait toutes les décisions. Les clients tenaient absolument à devenir ses amis, pas ceux de Frank. Fière de sa propre réussite, jamais elle ne se briderait dans le but de pour-voir à ses besoins à lui, de moindre importance.

Ses besoins à elle, c'étaient des étrangers qui les satisfaisaient.

— C'est la dernière fois pour cette semaine, d'accord ? implora-t-il.

Au lieu de répondre, elle fit exprès de se ras-seoir tout contre Michael et :

— Un bisou en vitesse, petit chou...

Elle picora le visage de son fils de baisers puis, jetant un coup d'œil à la ronde :

— Tout va bien. Personne n'a rien remarqué.

Michael se trémoussa, secoué d'un fou rire. Lui adressant un signe d'adieu en agitant les doigts repliés sur sa paume, sa mère partit vers la caisse, saluant les uns au passage, plaisantant avec d'autres, très à l'aise dans son élément. Comme d'habitude, Frank fut condamné à la suivre des yeux. Sidéré par un tel talent, il n'en sentait pas moins la rancœur le ronger intérieurement.

— C'est possible de baiser quelqu'un à mort ? attaqua Michael, sans prévenir.

Frank tomba des nues. Ce n'était pas la première fois que son fils lâchait ce genre de réflexion choquante. Mais dans la bouche d'un enfant, elles paraissaient terriblement incongrues. Il réprima son envie de sermonner le petit et se plaqua un sourire sur les lèvres :

— Ce n'est pas encore le moment de t'occuper de la question.

Michael eut un clappement de la langue.

— Quoi ? Déjà ? le taquina Frank, tout sourires maintenant.

Michael se sentit flatté de ce que son père lui demande s'il avait déjà goûté au sexe. Il n'avait jamais fait l'amour ; il en avait seulement beaucoup entendu parler. Et il se demandait ce que les gens y trouvaient de si passionnant.

— Non, pas encore, répondit-il.

Frank sortit quelques billets pour le pour-boire de la serveuse. Puis il rassembla leurs affaires à tous deux et, d'un ton rassurant :

— Ne t'inquiète pas, va.

— De quoi je m'inquiéterais ?

— Pour trouver des petites amies. Tu es assez mignon.

Michael fixa son père... qui ne souriait plus. Au contraire, ses traits avaient retrouvé un grand sérieux. Aussi l'enfant prit-il ce commentaire pour argent comptant, non plus comme une plaisanterie. Fier comme Artaban, il bomba son torse fluet.

— Allons-y, déclara le père.

Ils quittèrent la table et se frayèrent un passage jusqu'à la rue, Michael avec le sentiment d'être devenu adulte, Frank avec une grande fatigue intérieure.

Sur le seuil, Frank aperçut Bob Garrett qui pénétrait dans le café avec, se pavanant à son bras, une belle brune piquante. Si la foule des clients avait eu des objectifs photo en guise de pupilles, il les aurait entendus cliqueter... Dans cet établissement où l'on s'habillait décon-tracté, Garrett venait poser en costume sorti droit de chez Giorgio Armani, dont la coupe cin-trée donnait du relief à sa belle musculature. La chemise blanche brillait comme un plastron tant il l'avait empesée. Jusqu'aux boutons de manchettes en or qui jetaient mille feux.

L'homme idéal pour la couverture de *Vogue Homme*.

Quant à sa conquête, sa chevelure très brune lui caressait les épaules avec une désinvolture étudiée. Elle arborait une robe en jersey rouge dont le décolleté plongeant galvanisait tous les convives mâles. Sa voluptueuse poitrine se gonflait au rythme de sa respiration et le regard de braise dont elle couvait l'assistance coupait le souffle à bien des don Juans.

Elle évoluait dans un nuage de Shalimar, le parfum préféré de Frank. Il en avait même offert un flacon à Sharon pour son anniversaire. Son épouse s'en était mis deux fois, pour lui faire plaisir. Elle préférait les senteurs plus fleuries.

En l'arrivante, les femmes voyaient une dévoreuse d'hommes. Pour leur part, les hommes ne voyaient en elle que l'incarnation de leurs fantasmes.

Le brouhaha des conversations avait nettement décru. Garrett, auquel les œillades admiratives n'avaient pas échappé, s'en trouvait ragaillardi dans son arrogance. Comme prévu, celui qui venait de perdre un procès contre Frank s'acharnait à le narguer en s'exhibant au café, une femme fatale à son bras.

Garrett ne la présenta pas à Frank. Exprès.

— On rentre se coucher de bonne heure, Frank ?

— Un vrai luxe, pas vrai ? répliqua Frank,

sans se laisser démonter et, lorgnant la fille, il hocha la tête d'un air compatissant.

Elle le balaya d'un regard absent. Frank ne voulait plus de prises de bec. Sa journée lui avait paru suffisamment épuisante intellectuellement. Sa seule hâte : rentrer chez lui, se détendre, donner de son temps à son fils, loin de la ruée des arrivistes.

Il posa la main sur l'épaule de Michael pour le pousser dehors, très vite. Déjà le gargouillis des rires, le tintement du cristal et des couverts faiblissait graduellement.

Frank devait revoir Garrett dès le lendemain. Garrett mais également deux inspecteurs de la brigade criminelle : Reese et Griffin.

Sur mandat de Garrett, Rebecca Carlson fut convoquée au tribunal de police. Frank l'y accompagna. Me Garrett devait l'avoir trouvée, la « raison plausible » qui lui permettrait d'arrêter Rebecca. Mais comme il ne fournirait la plupart de ses preuves que lors du procès, Frank allait devoir naviguer à vue.

L'entretien eut tout de l'interrogatoire en règle. Un procès de l'Inquisition, oui, avec ces deux flics au regard impitoyable encadrant leur acolyte, le substitut on ne peut plus efficace. Trio que rassemblait un même dessein : déchirer sa cliente, lui arracher des aveux.

L'audience se déroula dans une salle aux

murs nus, meublée avec de la camelote. Ce genre de salle d'interrogatoire, c'est destiné à intimider le présumé coupable, lui rentrer dans le crâne qu'il ne sert plus à rien de protester de son innocence. Ce cadre seul suffisait parfois à faire faire la culbute aux gens impressionnables qui n'avaient pas d'avocat. Et ils acceptaient de plaider coupable.

Une pâle lumière jaunâtre filtrait par les carreaux sales. Les murs ripolinés d'un vert olive, les chaises et les tables de bois peintes en orange portaient les cicatrices dues à des années d'usage répété. L'un des murs consistait en une immense paroi de verre avec grillage incorporé. Cette sorte de cage donnait directement sur le couloir principal. De là, on gagnait les bureaux surpeuplés qu'utilisaient un régiment d'enquêteurs.

Frank et Rebecca étaient installés d'un côté de la table. Garrett, Reese et Griffin, en face, la mine résolue, les bombardèrent chacun à son tour de questions. Ils reluquaient Rebecca tels des lions salivant devant une antilope blessée. Au tour de Reese, maintenant, et Dieu sait qu'il se montrait impitoyable :

— Un voisin vous a vue entrer chez M. Marsh à 20 h 30, le soir du crime, accusa-t-il.

On en était donc déjà à parler de « crime »... Frank lui coupa l'herbe sous le pied d'un :

— Ma cliente ne nie pas y être allée.

Reese s'obstina :

— Vous avez couché avec lui, cette nuit-là ?

Pourquoi cette question superflue ? Bien sûr qu'elle avait couché avec Marsh. Reese le savait parfaitement puisque la vidéo les montrant en pleine action devait avoir été vue par une bonne moitié des habitants de Portland !

— Oui, répondit simplement Rebecca.

— Vous l'aviez attaché au lit avec des menottes ? demanda Garrett.

De nouveau, Frank chercha à empêcher sa cliente de répondre :

— Tu ne vas pas me dire que ça éclaire ta chandelle, Bob.

Rebecca répondit quand même que oui, ce qui lui valut un froncement de sourcils de son avocat qui s'échauffa :

— Vous n'aviez pas à répondre ça.

— En effet, acquiesça Garrett en faisant taire Frank de la main. Et nous apprécions sa franchise et son esprit de coopération.

Mais voyons... Frank en avait la moutarde qui lui montait au nez. Avant le rendez-vous, il avait enjoint Rebecca de se laisser guider au cours de cet interrogatoire. Au lieu de suivre ses directives, elle n'en faisait qu'à sa tête. Il venait de lui recommander de ne prendre aucune initiative, de se borner à répondre aux questions, de ne pas faire la maligne, de n'insulter personne et surtout, avant de répondre, d'attendre systématiquement, au cas où Frank eût jugé bon de s'abstenir.

Et maintenant, dans le feu de l'action, elle ne tenait presque pas compte de ses instructions. Or Frank avait horreur de perdre le contrôle de la situation.

— Restons-en aux faits, Bob ! cracha-t-il.

— A quelle heure êtes-vous repartie de chez lui ? demanda à son tour Griffin.

Rebecca regarda enfin Frank. Il faillit en pousser un soupir de soulagement et lui signifia qu'à cette question-là, oui, elle pouvait répondre.

— Aux alentours de minuit, je crois bien... Si j'avais su que ça avait autant d'importance, j'aurais regardé ma montre, ajouta-t-elle.

Frank lui prit le coude, et à ce signal convenu elle devait cesser de parler. Elle tourna vers lui des yeux d'une tristesse à fendre l'âme et gémit :

— Qu'y a-t-il de mal à dire ça puisque c'est la vérité ?

— Prenez-vous de la cocaïne ? demanda Reese sans prévenir.

Frank sentit son pouls s'accélérer. Voilà où le substitut voulait en venir, voilà pourquoi on l'avait convoquée au tribunal de police. Voilà pourquoi on parlait de crime... Que pouvaient-ils bien avoir trouvé à l'autopsie ou sur les lieux pour orienter l'interrogatoire vers la drogue ? Sachant que Garrett ne lui fournirait que le moins d'informations possible avant le procès, Frank s'empressa de prévenir toute gaffe de sa cliente par un :

— Il est interdit de se droguer à la cocaïne dans l'Oregon.

— Je n'en ai jamais pris dans l'Oregon, lâcha la jeune femme.

Frank serra les dents. Et Garrett éclata de rire. Il se fichait d'elle. Il lui montrait qu'il considérait ses paroles ambiguës comme transparentes. Comportement qui irrita Frank plus que de raison. Il demanda avec une colère qu'il ne dominait plus guère :

— Peut-on poursuivre ?

Toute raillerie disparue, le substitut :

— M. Marsh prenait-il de la cocaïne ?

— Jamais il n'en a pris.

— Pourtant les analyses du labo ont révélé la présence de cocaïne dans le sang.

Et voilà ! C'était ça, l'hameçon, la raison de cet interrogatoire. Rebecca ne se laissa pas démonter :

— Dans ce cas, vos tests sont erronés. Nous n'avons jamais pris de la drogue.

— Pas même des *poppers* — du nitrite d'amyle ? s'écria Garrett, qui haussait les sourcils, n'en croyant pas une miette.

— Elle vient de dire qu'ils n'avaient pas recours à la drogue ! protesta Frank avec violence.

Faute d'indices formels, l'avocat devina que la police avait décidé de la harceler, de lui faire cracher Dieu sait quel morceau qu'elle leur apporterait sur un plateau. Et tout dans leurs manières, dans leur gestuelle proclamait ouvertement le mépris. Une totale réprobation. On le lisait dans les œillades concupiscentes de ces trois inquisiteurs.

Et leur haine, leur veulerie retournèrent Frank. Il ne vit plus en eux qu'une bande de frustrés qui se trompaient sur le compte de Rebecca. Frank en aurait mis sa main au feu.

Garrett le gratifia d'un regard dédaigneux et, revenant à Rebecca :

— Parce qu'on met souvent le nitrite d'amyle à la disposition des gens atteints de maladies cardiaques. Vous auriez pu en profiter, tous les deux...

Soudain noué, Frank vit Garrett scruter les traits de Rebecca, y cherchant une réaction. On avait à une période utilisé le nitrite d'amyle pour soigner l'angine de poitrine, en effet. C'était avant que la nitroglycérine devienne facile d'accès. Et ce nitrite d'amyle, il faisait infiniment plus de mal que de bien aux cardiaques.

Maintenant, on l'utilisait de façon illégale... sous la forme des fameux « poppers », inhalés pour exacerber les sens au cours des rapports sexuels. Achetée sous le manteau, cette substance provoque une dilatation des vaisseaux très rapide, ce qui intensifie les sensations pendant l'orgasme. Une pratique à très haut risque en cas de maladie du cœur. En aurait-on trouvé dans le sang de Marsh ?

— Vous saviez que M. Marsh avait des ennuis cardiaques ?

— Il souffrait d'une légère arythmie, répondit Rebecca. Mais de là à parler d'ennuis cardiaques...

Garrett s'empara d'un dossier — certainement le rapport du médecin légiste. Il prit le temps de l'étudier puis :

— M. Marsh avait une maladie de cœur très grave.

Rebecca en resta suffoquée. La nouvelle parut la renverser. Un coup d'œil à Frank puis, le regard égaré :

— Il prétendait que ce n'était rien, dit-elle d'une voix indécise, timide presque.

— Pour quelle raison vous aurait-il menti ? la harcela Garrett.

Elle secoua la tête, pour la première fois peu sûre d'elle. Un grand silence tomba sur la salle. Les épaules de Rebecca s'affaissèrent légèrement. Puis la jeune femme se reprit, elle se carra sur son siège, tirant sur le bas de sa robe. Elle parut déprimée, emplie de lassitude. Des larmes apparurent. Elle se mordilla la lèvre inférieure, étouffant un sanglot.

— Je n'arrive jamais à savoir si les hommes mentent ou pas. Mais ils mentent. Les hommes ne peuvent pas s'empêcher de mentir.

Cela jaillit avec une conviction telle que Garrett en resta estomaqué. Il baissa le nez et remua ses paperasses pour se donner une contenance en attendant d'avoir retrouvé son sang-froid. Un léger sourire étira les lèvres de Frank. C'était un malin, ce salaud de Garrett, mais Rebecca tenait bien le rythme. En donnant à fond dans la sincérité, elle avait bouleversé le trio.

Garrett repassa à l'attaque, sans prévenir :

— Vous décririez-vous comme une femme dominatrice ?

Question qui mit Frank hors de lui. A quoi bon l'agresser pareillement ? D'autant que la souffrance de Rebecca était évidente.

— Retire ça, Bob, grinça-t-il.

— Une adepte du sado-masochisme ? insista Garrett, l'œil allumé.

Il passait les bornes. Rouge de colère, Frank agrippa Rebecca, la pressant de se lever. Elle se leva, un peu désorientée. Frank lui glissa le bras autour de la taille en un geste protecteur.

— Cet entretien est terminé. Si la police ou le D.A. veulent aller jusqu'à l'inculpation, qu'ils y aillent. Vous pourrez contacter miss Carlson par l'intermédiaire de mon cabinet.

Le regard de ce trio d'inquisiteurs restait braqué sur la jeune femme. Ils avaient les traits vides de toute expression. Aussi Frank prit-il sa cliente par le bras, l'entraînant vers le couloir. Griffin et Reese étaient tellement hypnotisés par la démarche follement sensuelle de Rebecca qu'ils ne virent même pas le signal que leur adressait Garrett. Le substitut dut aboyer pour les sortir de leur transe :

62

— Reese !

Très gêné, Reese devint rouge comme une pivoine. Frank et Rebecca s'apprêtaient à franchir le seuil lorsque retentit le fatidique :

— Rebecca Carlson, au nom de la loi, je vous arrête pour le meurtre d'Andrew Marsh.

Frank n'en crut pas ses oreilles. Il se retourna d'un bloc, prêt à attaquer. Mais Garrett se contenta de hausser les épaules d'un air penaud, tel un enfant pris en faute. Quand Frank revint à Rebecca, il lut de la terreur dans son regard. Clouée sur place, raidie par le choc, bouche bée, elle le dévisageait. A la stupeur, très vite succéda la terreur pure.

Reese lui énonçait ses droits d'une voix monocorde :

— Vous avez le droit de garder le silence... Mais sachez que désormais toutes vos déclarations pourront être retenues contre vous...

Puis, empoignant la prisonnière chacun par un bras, Griffin et lui l'emmenèrent. La malheureuse tourna violemment la tête et dans sa folle détresse jeta un cri à son avocat :

— Frank !

Qu'elle paraissait menue et frêle, cette petite jeune femme ! A la voir à ce point déboussolée et vulnérable, Frank en eut le cœur chaviré. Il ne l'avait pas soutenue comme il l'eût fallu. Et voilà qu'on l'arrêtait, sans raison, sans l'ombre d'une preuve. La cocaïne ? Garrett ne parviendrait jamais à prouver que c'était Rebecca qui en avait donné à Marsh, et dans le but de l'assassiner, en plus !

Et pourtant... La justice donne au D.A. le pouvoir de décider s'il y a motif d'arrestation. Il devait y en avoir un pour que Garrett l'incarcère.

Quant à Frank, il lui faudrait s'en remettre aux déclarations de Rebecca, d'ici l'ouverture du procès. Car aux États-Unis, l'avocat de la défense ignore pratiquement jusqu'à la fin le détail des preuves retenues contre ceux qu'il défend.

— Je vous fais sortir d'ici le plus vite possible ! cria-t-il à Rebecca.

Elle s'éloignait inexorablement. Il faillit poursuivre les policiers, courir arracher cette innocente à leurs griffes.

Au lieu de cela, il tourna sa rage vers Garrett. Tranquillement, méthodiquement, le substitut serrait documents et carnet de notes dans sa serviette. Frank était livide.

— Alors, on essaie d'avoir les honneurs de la presse avec un procès à sensation, Bob ? C'est à ça que tu joues en poursuivant une innocente ?

Garrett ne répliqua pas. Il lorgna son collègue avec ce mélange de dédain et de compassion dont on gratifie un enfant retardé qui rue dans les brancards.

— Tu t'es bien fichu de moi avec ta convocation ! hurla Frank. Tu savais bien que vous alliez l'arrêter, hein ?

La bouche de Garrett prit cette même incurvation prétentieuse que la veille, au café.

— Allons, mon vieux, tu ne vas quand même pas prendre ça comme une offense personnelle ! railla-t-il, utilisant les paroles que Frank lui avait lancées à l'instant où il avait perdu son procès.

Frank n'apprécia absolument pas. Il en perdit même totalement son sang-froid. Sans même réfléchir, il se rua sur son adversaire dont il fit si violemment basculer la chaise qu'elle dérapa jusqu'au mur. Il y eut un coup sourd quand le crâne de Garrett le percuta. Le substitut fixa Frank, assez commotionné.

— Bon sang ! Frank...

Muet, son agresseur se contentait de rester planté devant lui, ouvrant et refermant les poings. Le substitut se leva en se frottant l'arrière du crâne et il saisit sa serviette.

— Depuis que tu es à ton compte, tu passes beaucoup trop de temps dans l'entourage d'assassins, Frank. C'est ça qui te fausse le jugement, lâcha-t-il avant de sortir.

Frank lui emboîta le pas. Ils longèrent le couloir, tournèrent à droite, puis à gauche. A mesure, le crépitement d'antiques machines à écrire et la sonnerie des téléphones s'estompaient.

— Il n'y a pas l'ombre de matière à procès, rembraya Frank qui avait fini par retrouver sa voix et qui cherchait à engager le « marchandage ».

— Bien sûr que si. Il va falloir justifier la présence d'une forte dose de cocaïne dans les organes d'un homme dont le cœur battait la breloque. Sans compter que miss Carlson va hériter de dix millions de dollars. Oui, mon cher, Marsh lui lègue dix millions de dollars : même à moi, un héritage pareil m'aurait donné un mobile pour assassiner.

Cette révélation était saisissante. Frank eut du mal à masquer sa surprise.

— En plus, elle a admis sa présence chez Marsh la nuit du crime...

— Rien ne prouve qu'elle est venue pour l'assassiner.

— ... et la technique utilisée pour tuer est évidente, poursuivait Garrett.

— Tu veux faire enregistrer le corps de Rebecca comme arme du crime ? s'époumona Frank. Pièce à conviction numéro un ? C'est comme ça que tu la considères ? Mais ce n'est pas un crime d'être un super coup au lit !

Ce qui tira cette « finesse » à Garrett :

— J'espère bien, parce que sinon, moi aussi, je passerais au tribunal !

— Cette affaire frise le ridicule. Laisse tomber, plaida Frank. Je t'assure qu'elle est innocente, que jamais personne n'arriverait à prouver légalement qu'il y a eu meurtre. En tout cas, si tu t'acharnes à la poursuivre, moi je plaide non coupable, procédure bien plus coûteuse. Relâche-la donc : tu feras économiser de l'argent à l'État. Avec le peu d'indices que tu as pu récolter, tu n'as aucune chance d'en tirer une condamnation.

— C'est moi qui décide si je considère les preuves comme suffisantes, Frank. Et ce sera à moi de prouver que j'ai eu raison devant le tribunal. Oui, j'accuse miss Carlson d'avoir administré de la cocaïne à un vieux richard cardiaque après s'être fait coucher sur son testament. Et pour ces raisons, bien sûr que je la ferai condamner.

Garrett poussait la porte du tribunal de police. Frank, toujours sur ses talons, écumait de rage. Lui aussi il se sentait déboussolé. Comment convaincre Garrett de renoncer à poursuivre la jeune femme ?

— Range ta canne à pêche, Frank, aujourd'hui, ça ne mord pas. Préviens ta cliente que je n'ai pas l'intention de la déclarer innocente. Qu'elle a jusqu'à l'audience préliminaire pour plaider coupable d'homicide. Explique-lui que si elle plaide coupable, ça nous évitera le grand jury, le procès public, et vingt ans de prison ferme. Si elle accepte de coopérer, elle s'en tire avec sept ans.

— Elle plaidera non coupable, Bob, si tu t'entêtes, je te le garantis. Et il y aura grand procès et grand jury, aux frais de l'État ! Et je te garantis aussi que je ferai tout pour que les jurés la décrètent innocente. La seule peine de prison dont elle écopera jamais, c'est celle qu'elle subit en ce moment par ta faute. Quel tour de cochon tu me fais là !

— Qu'est-ce que tu veux, Frank, il y en a qui les ont plus coriaces que d'autres...

Fou furieux, Frank sortit d'une voix grinçante une réplique qui lui parut bien faible mais il était trop hors de lui pour en trouver une meilleure :

— Hé ! Bob, merci du compliment.

Après le départ de Garrett, il se planta sur le trottoir pour contempler la célèbre Portlandia, la plus grande statue en cuivre martelé du pays, après celle de la Liberté, à New York. Haute de onze mètres environ, elle brillait de tous ses ors dans la lumière matinale. Armée de son trident, de sa roue dentée et de son marteau de forgeron, elle semblait tendre les bras à Frank.

L'avocat frissonna dans l'air froid et humide. Un sinistre pressentiment s'empara brutalement de lui, qui ne le quitta pas avant qu'il ait rejoint l'abri de sa voiture.

4

Ils avaient bouclé Rebecca dans la cellule de détention préventive. Juchée sur l'extrême bord d'un banc métallique mangé de rouille, elle incarnait l'image de la détresse et de l'épuisement. Et pourtant sa beauté tranchait radicalement sur la rudesse des autres femmes que le pavé avait usées : putains, droguées, voleuses, certaines même cumulaient ces trois activités.

Pour la plupart des habituées de la prison, elles lui en voulaient d'être si belle. Ça déclenchait leurs rires, leurs railleries, leurs attaques mauvaises.

— Paraît qu't'aurais liquidé un mec, commença l'une des filles.

Rebecca garda le silence.

— Ben alors, où c'qu'elle est passée ta langue, ma petite chatte ?

La cellule empestait l'urine, les odeurs corporelles, le vieux mégot. On voyait des crachats par terre et d'une fissure du mur s'écoulait un grouillement de cafards. Un vrai bouge.

— Tu s'rais dans l'cinéma, à c'qu'i disent!

Éclat de rire général. Rebecca ne se laissa pas perturber. Il y en eut une qui vint s'asseoir auprès d'elle et, lui posant la main sur le genou :

— Fais pas gaffe, va.

Rebecca lui fit retirer sa main en y appliquant une claque vigoureuse.

— Fiche-moi la paix, compris ? pesta-t-elle.

Enfin, au bout d'une éternité, Rebecca entendit des pas, suivis du cliquetis d'un trousseau de clés. Une gardienne s'avançait vers la cellule. Elle appela :

— Rebecca Carlson !

Rebecca se leva d'un bond, lissa de la main sa robe fripée puis se fit bouffer les cheveux. Dans un concert de huées, de braillements et de sifflements.

— On r'sort pour le tournage, ma poule ?

— Hé ! z'auraient pas un p'tit rôle pour moi ?

La gardienne introduisait la clé dans la serrure, l'ouvrait toute grande et, faisant un signe à Rebecca :

— Ton avocat est là.

Rebecca se hâta de sortir de ce bouge. Elle suivit la femme en uniforme qui l'entraînait le long d'un couloir. Elles arrivèrent dans une salle d'attente. A peine vit-elle Frank qu'elle se jeta dans ses bras et nicha son front au creux de son épaule. Frank l'écarta doucement. Il plongea le regard dans ses yeux affreusement torturés.

— J'ai donné la caution. On vous met en liberté provisoire pendant que le D.A. mène son enquête. Ça va ?

Elle secoua farouchement la tête.

— C'est épouvantable. Je n'arrive pas à croire qu'on soit tombés si bas.

Frank la soutint, l'aidant à traverser le dédale de corridors et de passages qui menaient à la liberté. Arrivé à la porte de sortie, il s'arrêta net pour annoncer :

— Ils nous attendent dehors. Avec le gros des troupes.

— Qui ça ?

— Les journalistes. La presse, la télévision, tout le tremblement, quoi. On ne parle plus que de vous, maintenant. Il va falloir trouver une autre issue.

— C'est possible ? l'implora-t-elle, pathétique.

— Oui, mais au cas où ils nous rattraperaient, je vous demande de ne faire aucune déclaration. Compris ? Pas un mot à la presse.

Elle prit une profonde inspiration et, sur un souffle :

— J'ai compris.

Face à tant de vulnérabilité, il ressentit un déchirement. S'il était toujours accablé par sa beauté, l'attirance qu'il éprouvait pour elle, maintenant, n'était plus superficielle et l'attaquait en profondeur.

Frank était toujours violemment sensible à la puissance de son sex-appeal. La force d'attraction sexuelle de cette femme semblait pourtant atténuée ; le feu d'une passion intérieure couvait toujours, mais sous la cendre, comme étouffé par cette effrayante confrontation avec la machine de la justice, cette pieuvre au pouvoir écrasant. Au pouvoir tellement différent du sien...

Quelques heures de prison avaient suffi à lui marquer le visage. Traits tirés, joues blêmes, paupières un peu bouffies. Jusqu'à sa démarche, habituellement assurée, qui en devenait saccadée.

Il eut envie de voler à son secours. Plus encore : il avait besoin de la protéger. Ils longèrent d'autres corridors, franchirent d'autres portes, et puis ce fut la rue. Dans la lueur orangée du soleil déclinant, ils foncèrent tête baissée vers la voiture de l'avocat. Personne ne les avait encore repérés.

Ils atteignirent l'auto. Frank lui ouvrait la portière. Rebecca s'installait. Hélas ! le claquement de la portière alerta l'un des photographes qui regardait par hasard dans leur direction. Il se mit à brailler à tue-tête :

— Hé ! elle est là.

— Dulaney ! Attendez-nous !

A l'abri dans la voiture, Rebecca et Frank verrouillèrent les portières. L'avocat glissa la clé dans le contact. La meute se ruait déjà droit sur eux. Caméramen remorquant un matériel très lourd, reporters toutes griffes tendues, précédés de leur magnétophone... Vautours affamés qui fonçaient droit sur eux.

— Putain mais ils sont sortis par quelle porte ? beugla le journaliste.

— Fait chier, cette merde ! brailla un autre.

— Rebecca ! hurlaient-ils en chœur. Rebecca !

Chacun voulait sa part. Le scandale du jour, c'était elle. La nouvelle à sensation, c'était Rebecca Carlson, la plus juteuse... Le genre de nouvelle qui déclenche les tirages monstres, qui pousse les éditorialistes à jouer les pères la pudeur dans leur chronique.

Effondrée, les épaules creusées, Rebecca refusait de regarder par la vitre. Frank parvint enfin à mettre le moteur en marche. Il embrayait... Un reporter s'écrasa sur le parebrise, tambourinant sur la paroi tandis que Frank effectuait une marche arrière.

— Frank !

Pour toute réponse, l'avocat pressa sur le champignon. La voiture fit un bond en avant.

— Frank ! Petit con, va ! cracha le reporter en lui courant derrière.

Ils leur avaient échappé ! La voiture atteignit le bout de la rue, en prit une autre et puis s'engagea dans une avenue très fréquentée.

— Vous tenez le coup ?

A présent toute droite, elle fixait la ligne d'horizon. Au passage, les phares des voitures jetaient des ombres fantasmagoriques sur son visage. Ce qui lui donnait un regard étrange... La nuit tombait. Des nuages sombres s'amoncelaient. Il ne tarderait pas à pleuvoir.

— Merci, dit-elle d'une voix si douce...

— Je vous en prie... Ça vous a secouée, hein ?

— Oui.

— Ça se passe souvent comme ça, avec la presse. Espérons que j'arriverai à vous épargner leur numéro, à l'avenir.

Elle laissa reposer sa nuque contre le dossier. On roulait toujours. Pendant un bon moment, ils ne parlèrent ni l'un ni l'autre, perdus dans leurs pensées. Soudain au moment de franchir le pont pour prendre vers le sud de la ville, elle déclara, mélancolique :

— J'aurais dû retourner à Chicago.

— Pourquoi ne pas l'avoir fait ?

— A cause d'Andrew.

Il fallait qu'il sache. Aussi posa-t-il la question :

— A cause de l'argent d'Andrew, plus exactement ?

Il la regarda à la dérobée : on aurait cru qu'il la déchiquetait vive avec un rasoir. Mâchoire soudain pendante, yeux écarquillés... le teint encore plus blanc qu'à l'ordinaire... l'image de la femme trahie.

— C'est à ce genre d'attaque que vous aurez droit, au tribunal, lui expliqua-t-il, avec ce même sentiment de culpabilité ressenti lors de leur première rencontre. Bob Garrett va nous mettre en scène un beau procès bien malsain. Je connais le bonhomme.

— Qu'est-ce qu'il veut ?

— Je vous l'ai déjà dit : que vous plaidiez coupable du meurtre de Marsh.

La douleur s'atténua dans son regard.

— Il veut que je plaide coupable parce qu'ainsi, il aurait un procès discret et rapide où rien ne serait révélé à la presse ? Une simple séance au tribunal pour m'épargner la honte ?

— Je ne le pense pas, non. Je crois qu'en réalité, il ne suggère cette possibilité que du bout des lèvres. Ce qu'il souhaite, au contraire, c'est que vous plaidiez non coupable : ainsi, pour déterminer votre degré de culpabilité, il faudra un vrai procès, avec jurés et journalistes présents dans la salle. La célébrité pour lui, quoi. Et du sanglant.

— Mais je ne suis absolument pas coupable ! Et je refuse de plaider coupable de quoi que ce soit.

Frank avait une autre révélation choquante à lui communiquer. Il le fit :

— Je me sentirais plus à l'aise si votre nom ne figurait pas dans le testament de Marsh.

Il l'entendit retenir son souffle, signe que cette nouvelle la laissait suffoquée.

— Andrew m'a couchée sur son testament ?

Jouait-elle la comédie ? Difficile de le savoir. Il décida de la cuisiner un peu :

— Pas de ça, avec moi, Rebecca... Vous êtes sa légataire universelle.

Elle ne répondit qu'après un temps :

— Pour combien ?

Incroyable ! Quelle candeur ! Quelle grandeur d'âme ! Frank faillit en éclater de rire. Et si Sharon avait deviné juste ? S'il était vraiment en train de se faire rouler dans la farine par une manipulatrice, une calculatrice ?

— Vous ne poseriez pas la question, vous ? s'étonna-t-elle, comme si elle avait lu dans son esprit.

Il prit le temps de réfléchir et lâcha :

— Dix millions de dollars. A prendre ou à laisser.

Elle tourna la tête vers sa vitre.

— C'est un drôle de beau mobile.

Une paille...

— Je connais les méthodes de Bob, reprit Frank. Il va braquer les projecteurs sur votre vie sexuelle, pour sa plaidoirie. Il va ressortir les moindres petits détails les plus dégoûtants.

— Nous ne faisions rien de dégoûtant, rectifia-t-elle posément.

Il secoua la tête en signe d'exaspération.

— Pas à vos yeux ni à ceux de Marsh. Mais dans cette ville, les gens ont une vision bien plus pépère de la sexualité. Ce qui va au-delà de leurs pratiques, ils le considèrent comme dégoûtant. Et croyez-moi, leurs pratiques sont bien tristounettes.

— Ce n'est pas vrai, dit-elle d'un ton maintenant plus assuré.

On abordait un sujet qu'elle connaissait sur le bout du doigt.

— Ils s'adonnent à tout, Frank. Simplement, ça ne se dit pas. Les gens sont tellement hypocrites...

L'avocat secoua la tête. Il ne supportait pas les clients qui croyaient connaître les méandres de l'âme humaine. Des foutaises! Il n'y avait qu'à prendre les jurés pour exemple. Au mieux, le jury est imprévisible; mais en matière de sexualité, les jurés se rangent toujours dans le camp de la pruderie. Toujours. D'ailleurs on choisit les plus neutres, les plus ternes. Ceux qui ont les idées assez larges pour comprendre par exemple le sado-masochisme se font éliminer au cours du questionnaire que leur font subir conjointement l'accusation et l'avocat de la défense. Les gens plus évolués, on considère qu'ils ont des préjugés trop favorables à l'accusé et par conséquent on refuse de les laisser s'asseoir au banc des jurés.

— N'empêche que ce sont ces hypocrites-là qui vont vous juger. Ce sont eux qui écouteront Me Garrett leur expliquer que vous avez entraîné Andrew Marsh dans vos perversions.

— Je n'ai eu à l'entraîner nulle part, assura-t-elle avec force. Andrew savait ce qu'il voulait. Jamais je n'ai connu un homme aussi passionné. Il tenait à explorer les arcanes du sexe.

Je lui ai montré comment faire. Qu'y a-t-il de mal à ça ?

— Rien.

— On faisait l'amour, c'est tout.

Il ne put se retenir :

— Avec des menottes...

Elle l'étudia un instant, puis :

— C'était une variante. Mais c'était quand même faire l'amour... Vous avez déjà vu les animaux en train de faire l'amour, Frank ? C'est forcené, c'est plein de violence. Mais quelle passion !

— On n'est pas des bêtes.

— Si, nous sommes des bêtes, insista-t-elle, toute tranquille.

Quelle assurance ! Il tourna la tête vers elle pour la contempler, pour chercher à percer plus profondément à jour cette créature étrange. Sa puissance sexuelle, il la sentait à nouveau très violemment. Elle refaisait surface, faisait se déchirer ce voile de vulnérabilité qui la nimbait une minute auparavant. Ce teint tout à l'heure blême avait retrouvé ses couleurs. Une femme stupéfiante.

Subitement, elle s'empara du volant, y imprima une secousse. Un klaxon rugit. Un véhicule jaillit en vrombissant sur leur droite, les manquant de justesse. Frank avait dû laisser filer la voiture vers l'autre voie. La présence d'esprit de Rebecca leur avait évité à l'ultime seconde de prendre de plein fouet cette voiture qui venait en sens inverse.

— Vous allez nous tuer, Frank, dit-elle douce-ment.

Durant le reste du trajet, il ne prêta plus attention qu'à la route.

5

Ça faisait des mois que Frank n'avait pas bandé aussi fort.

Chaque mouvement de leurs corps provoquait en lui une vague de sensations inconnues. Il ne pensait qu'à l'instant présent, à sa peau sous ses doigts, à ses seins fermes et élastiques, à ses mamelons qui se tendaient, tout durcis. Ses mains étaient si chaudes... Son parfum une brassée d'odeurs entêtantes.

A ce festin, on vous servait le plaisir sexuel sous toutes ses formes.

Ils étaient trempés de sueur. Emmêlés dans les draps moites, ils se roulaient dans le lit, arrimés. Leurs langues avides s'insinuaient, se mêlaient au rythme des corps qui s'arcboutaient, se tordaient convulsivement.

Il lui excita le téton du bout de la langue. Ensuite, lentement, il descendit vers le ventre, lui lécha le nombril. Enfin, la toison duveteuse, là, en bas, triangle magique où il voulait se perdre.

Il commença par effleurer en caresses savantes, retenues. Puis le cercle se rétrécit. Le bout de sa langue, en de lents attouchements alternant avec des coups de boutoir nerveux, se rapprochait lentement du creux rose mouillé où perlait une chaude rosée.

La langue plongea le plus loin possible. Elle attisa, fouilla, se retirant pour forer plus avant.

Suffoquant de plaisir, elle écarta encore plus les jambes. A ce signal, il tendit les bras vers ses seins, les lui malaxa, en pinça les extrémités. Sa langue l'attisait, l'enflammait, l'allumait si violemment qu'elle en avalait des goulées d'air, ce qui avivait la violence de l'excitation. Avec un gémissement, elle lui ébouriffa les cheveux. Puis elle le repoussa.

— A moi, maintenant.

Souriant, docile, il s'allongea sur le dos.

D'abord, elle l'embrassa sur la bouche. Puis elle lui lécha les pectoraux en petits lapements, glissa ses lèvres humides sur son torse, lui grignota les seins du bout des dents, descendit...

Elle prit son sexe érigé dans la main, le caressa délicatement, amoureusement. Ses lèvres s'arrondirent autour du gland. Simultanément, elle déplaça son corps, se glissa à califourchon sur lui : maintenant tête-bêche elle lui présentait son sexe bien écarté, à deux doigts de sa bouche.

Aussitôt, il y colla les lèvres.

Quand elle fut au bord de la jouissance, elle bascula sur le côté, se renversa et, le regard égaré par le désir, elle lui ouvrit les bras.

De nouveau, il la monta, s'enfonçant d'un coup, pour la caresser lentement de sa verge, se régalant de ses geignements, de son souffle brûlant sur son épaule, de l'odeur de ce sexe de femme échauffé qui lui emplissait les narines.

Il sentit, au creux de ses reins, qu'elle le fouaillait de son talon. Il la laboura plus profond. Il sentit qu'il allait jouir. Aussi se retira-t-il. Il mordit un mamelon à pleines dents, puis le titilla de la langue, lui arrachant un long gémissement. Il se sentait chargé d'électricité. Son corps à elle, c'était de la soie. Il lui empauma les fesses, pétrit ces rondeurs faites pour l'amour, lui forant de nouveau le nombril à pleine langue. Il se retira, pour revenir s'amuser, entre ses jambes, avec son sexe gonflé.

Elle eut une plainte.

Elle aussi, elle s'apprêtait à jouir.

Doucement il la pénétra, par lentes impulsions caressantes, lui empoignant les fesses, relâchant, se remettant à pétrir. Avec de douces plaintes, elle projeta son bassin à l'assaut de son sexe, s'empalant plus profond, plus avant, le serrant dans son vagin pour mieux jouir de son orgasme.

Elle fut parcourue d'un frémissement de tout le corps, scanda son bonheur de geignements satisfaits. Une fois... deux fois... Deux orgasmes d'une violence terrible, coup sur coup. Ce qui était très rare chez elle.

Il attendit un peu. Revint lui mordiller le bout des seins. A coups de talons, elle le recollait à lui, le voulait à l'intérieur. Il s'enfonça encore en elle. A peine eut-il senti cette bouche chaude et douce se refermer sur son membre qu'il sut qu'il ne pourrait plus se retenir.

La jouissance le prit avec violence. Son éjaculation fut un feu d'artifice prolongé, une canonnade frénétique. Cambrant les reins, dents serrées, il s'abandonna de tout son sexe à la suavité délicieuse qui se nichait si profond entre ses longues jambes pour mieux l'envoûter.

Vidé de sa semence, il s'arracha lentement à elle. Il se dégagea en reculant les fesses avec de lentes rotations du bassin. Ultimes caresses intimes, comme s'il ne voulait pas que leur fusion s'interrompe.

Elle lui massait amoureusement les muscles du dos, cherchant son souffle. Puis ses jambes retombèrent sur le lit.

La tête entre ses seins, il garda l'immobilité, à l'écoute de ce cœur qui battait comme un tambour, tout comme le sien qui cognait contre ses côtes.

Sharon se mit à rire, d'une voix creuse car il pesait de tout son poids sur elle.

— Ce que tu fais bien l'amour, la veille d'un procès !

Il la libéra en roulant sur le lit.

— Et le reste du temps ?

— Tu sais parfaitement à quoi je fais allusion.

Et voilà. Leur tendre communion, c'était terminé. Elle le rejetait.

— Non, je ne saisis pas l'allusion, l'accusa-t-il.

Mais Sharon ne répondit pas. Elle quitta le lit, gagna la salle de bains, lui présentant ses fesses qui roulaient à chaque pas.

— Je vais prendre une douche.

Elle l'abandonnait à ses réflexions, le condamnait à écouter ruisseler l'eau, avec dans les narines l'odeur de son sexe amoureux, avec le souvenir de ses mains sur tout son corps, sa langue, sa bouche...

Au début de leur mariage, ils avaient cette habitude de s'endormir, épuisés, dans les bras l'un de l'autre. A présent, cela avait changé. Leurs ébats amoureux, ils en venaient presque à les minuter. Après l'amour, fini la mollesse alanguie, le bonheur de goûter cette intimité détendue ; on avait droit à une courte pause et puis on retournait à sa routine.

Frank tenta de se raisonner. Bien sûr, avec leurs emplois du temps de dingues... Lorsqu'ils se retrouvaient, il y en avait toujours un pour tomber d'épuisement ; il y avait aussi l'œuvre des fameuses « endorphines B », l'hormone qui dissipe le désir chez les couples de longue date, le remplace par une béate fraternité.

Insatisfait, Frank chercha plus avant. Des couples que persécutait un emploi du temps absolument écrasant, il en connaissait d'autres. Ces gens trouvaient quand même souvent le temps de bien faire l'amour. Or avec Sharon, il y avait d'autres priorités.

Cette fois, quand même, Frank n'avait pas à se plaindre. Il avait gagné sa soirée. L'approche du procès de Rebecca Carlson lui chatouillait-elle le sexe ? En tout cas, ce soir-là, il avait attendu patiemment le retour de Sharon. Il avait sorti une bouteille de champagne, placé une rose dans un soliflore ct, nu, l'avait guettée, caché dans la cuisine. Sharon avait trouvé très dur de lui résister...

Bizarre comme ces procès le faisaient bander. Pourquoi exactement ? Parce que son pouvoir s'en trouvait décuplé ? Parce que la confiance désespérée que ses clients mettaient en lui le flattait ? Car quand Me Dulaney se donnait au maximum, les accusés qui plaidaient non coupable étaient généralement acquittés.

Bien entendu, ceux qui étaient obligés de plaider coupable parce que le D.A. détenait la preuve flagrante de leur culpabilité, Frank n'avait qu'à les mener devant un simple tribunal de police qui suffisait pour les condamner. Après avoir « marchandé » avec le substitut une peine plus légère, toutefois. Mais quand le D.A. n'avait pas de preuves très solides pour étayer son accusation, quand le procès devant un grand jury paraissait tout indiqué pour ses clients, Frank réussissait la plupart du temps à les faire acquitter.

Dans ce cas, il devait affronter la machine de la justice pénale en déployant toute la force de son intelligence et de son savoir-faire. Il était seul contre tous, contre cette mafia.

Et la mafia que constituait le système judiciaire disposait de ressources illimitées. Le substitut avait les moyens de l'État pour mener à fond l'enquête et gagner un procès retentissant. Et l'État pouvait s'offrir des experts, lancer des détectives dans les rues, fouiller partout, retourner chaque pierre.

En revanche, Frank ne disposait que de l'argent de son client du moment. S'il s'agissait d'un nanti, les fonds étaient suffisants pour préparer une défense solide. Avec un client pauvre, l'aide judiciaire ne suffisait jamais à mener convenablement une enquête approfondie. Voilà pourquoi les prisons regorgent de gens pauvres.

L'ardoise de l'affaire Carlson, par exemple, atteignait déjà six mille dollars. Ce qui couvrait à peine les frais engagés pour enregistrer les dépositions ainsi qu'une dizaine de requêtes, pour les heures d'interrogatoires préliminaires au tribunal ou au cabinet. Sans oublier les dépenses occasionnées par les prestations de deux psychiatres, au cas où on aurait besoin du témoignage d'experts. Et le procès à proprement parler n'avait même pas commencé...

Depuis cinq mois, Frank avait tout essayé pour pousser Garrett à renoncer à traîner Rebecca Carlson devant un grand jury. Sans résultat. Piqué que Frank et Rebecca n'aient pas voulu plaider coupable, le substitut avait maintenu l'accusation et refusé toute négociation. Il tenait à son grand procès bien scandaleux. En fait, il cherchait à prendre sa revanche sur Frank, à l'écraser publiquement. Mais s'il croyait que le côté scabreux des témoignages suffirait à écœurer les jurés au point de les pousser à condamner l'accusée, il risquait d'être déçu.

Car Frank allait tout faire pour les empêcher de se laisser influencer par le substitut. Se battre contre plus fort que soi, sachant qu'un être humain lui confiait la responsabilité de le défendre contre une machine qui ne cherchait qu'à le broyer dans ses rouages, voilà ce que le métier d'avocat au pénal avait d'exaltant. Ce que l'affaire Carlson avait de palpitant.

Oui, détenir un tel pouvoir avait de quoi faire bander.

C'était comme les chirurgiens, qui opèrent presque tous les jours et qui sont en rut permanent, survoltés par leur pouvoir de vie et de mort.

Frank poussa un grognement. Lui, un rythme pareil, ça le tuerait. L'approche d'un procès l'excitait déjà bien assez...

A son réveil, il se retrouva seul dans le lit. L'aube baignait maintenant la chambre. Il avait donc dormi ? Étonnant.

Entendant du bruit dans la salle de bains, il se leva et partit y retrouver Sharon. Il la trouva devant la glace. Son soutien-gorge vert et noir à balconnets ne cachait pas grand-chose de ses seins très blancs. Au lieu de la petite culotte habituelle, elle ne portait qu'un string. Il sentit son sexe durcir. Il avait vraiment envie d'elle...

— C'est pour mieux m'exciter, cette petite chose ? demanda-t-il, ravi de l'aubaine.

Sharon lui sourit dans le miroir. Il se colla contre son dos et, tout en lui bécotant l'épaule, glissa un doigt sous son cache-sexe. Son membre était dur et dressé comme un gourdin. Il y avait des lustres qu'il n'avait récupéré aussi vite.

Sharon n'avait pas pu ne pas remarquer son érection. Elle soupira :

— Je suis déjà en retard, chéri... Il est huit heures passées.

Et elle regagna la chambre, le laissant à sa frustration. Frank l'y suivit. Heureusement, il débandait déjà.

— Tu peux bien laisser ton café tout seul une minute, quand même ! s'exclama-t-il.

Elle ne releva pas. Déjà elle s'habillait.

— Tu réponds ?

— Eh bien non. C'est moi la patronne, la propriétaire, c'est à moi qu'incombe la responsabilité de l'affaire.

— Et alors ? Laisse-la en paix, ton affaire, bon sang ! Hier, tu es rentrée au beau milieu de la nuit. Je t'ai attendue. Et maintenant, dès l'aube, il faudrait que tu y coures encore ? Qu'est-ce qui s'y passe de si important à cette heure ?

Elle le dévisagea avec froideur.

— Je n'ai pas à me justifier de mes actes. Moi non plus, je n'aime pas que tu te lèves à sept heures en me laissant dormir toute seule ! Mais étant avocat, tu travailles pendant la journée ; depuis qu'on se connaît, moi j'ai toujours travaillé la nuit. Après douze ans, tu devrais être habitué !

— Non, je n'ai jamais pu m'y faire.

Elle dit alors, d'une voix posée, tranquille mais convaincue :

— C'est mon père, grâce à la boutique, qui t'a payé tes études de droit, et à l'époque ce n'était qu'un bar à sandwiches, souviens-toi. Il en a fallu, des sandwiches, Frank...

De nouveau cette hauteur dans la voix, cette attitude de supériorité qui l'horripilait... L'accusation à peine voilée que sans son beau-père, il ne serait rien.

Oui, le père de Sharon l'avait aidé à financer ses études, et il lui en était reconnaissant. Une fois devenu avocat, il avait remboursé cet homme, avec intérêts, même. Ce point-là, Sharon ne le mentionnait jamais. Pas plus qu'elle ne lui rappelait à quel point il avait bûché pour finir son droit, tout ce à quoi il avait renoncé pour accéder au barreau. Elle ne mentionnait jamais que ce prêt. L'argent, toujours.

Son père était mort. Il lui avait légué une affaire en pleine expansion. D'accord, Sharon en avait fait un café-galerie à l'ambiance exceptionnelle. Pourtant, jamais elle n'avouait que son succès à elle, elle le devait également en partie à son père ! Ça, c'était normal, c'était un dû. Seule la réussite de son mari lui paraissait frelatée. Elle s'arrangeait toujours pour qu'il s'en souvienne.

— Il aurait dû me payer des études de cuistot, ricana Frank. J'aurais eu peut-être une chance de te voir davantage.

Elle avait fini d'enfiler ses vêtements d'une époque révolue. Branchés mais pas trop sexy...

A son expression, il comprit qu'elle lui pardonnait cet éclat, comme elle l'eût fait pour un enfant désobéissant. De la condescendance. Ce qui le rendait fou de rage.

— J'adore mon métier. Toi aussi, Frank, tu aimes le tien. Voilà pourquoi on l'exerce de tout notre cœur.

Fou furieux, plutôt que de poursuivre la dispute, il lui tourna le dos et alluma la télévision.

— Je ne voudrais pas te retenir...

A ces mots, elle tourna les talons.

6

Frank vibrait de colère et de rancœur. Au volant de sa voiture, en route vers son cabinet, il se contraignit pourtant à se concentrer sur l'affaire Carlson. Pas de temps à perdre. Le procès était trop proche. Il fit le point, désireux de mettre de l'ordre dans ses idées.

Cette journée revêtait une importance stratégique. On commencerait par la déposition de la secrétaire de Marsh, Joanne Braslow, chaque fois repoussée sous un prétexte ou un autre. Il comptait fermement sur la présence du substitut Garrett. Bob n'enverrait certainement pas quelqu'un à sa place... Il se léchait bien trop les babines à la perspective de condamner Rebecca ; comme s'il en faisait une affaire personnelle.

Dès son arrivée, Frank appela Biggs dans son bureau. Le détective se posa sur un siège et ouvrit grandes les oreilles. Ses façons désinvoltes cachaient un cerveau qui marchait au quart de tour.

— On n'acquiert pas la fortune colossale de Marsh en faisant des gentillesses aux gens, attaqua l'avocat. Je vous avais demandé de trouver des victimes qu'il aurait entubées... dans ses relations d'affaires, mondaines, ses liaisons. Qui aurait eu avantage à le voir réduit à l'état de chair à pâté ? Vous m'avez déniché des renseignements exploitables ?

— Je me décarcasse, patron. Et de fait, il n'y a pas grand-chose. En ce moment, je me balade chez les dealers avec la liste de ses proches, des fois que Marsh se serait procuré de la coke de cette manière.

— Très bien.

Ils se creusaient la cervelle pour chercher des stratégies quand Gabe apparut sur le seuil.

— Oui ?

— Joanne Braslow est arrivée, annonça Gabe. Et Garrett a apporté des beignets. Ils sont dans la salle de réunion.

— Sympa de sa part, commenta Frank d'un ton sec. Mais j'aurais préféré des croissants.

Biggs et lui se levèrent. Avant de s'éloigner, le Noir lâcha :

— Garrett se les mange toujours tous, ses beignets, de toute façon.

Ce qui arracha un sourire à Frank. Observateur, le Biggs... Normal, pour un détective.

Spacieuse et meublée de façon cossue, la salle de conférences donnait sur la Willamette, la rivière qui coupait la ville en deux. Jouxtant le bureau de Frank, elle bénéficiait également d'un point de vue imprenable sur tout Portland. L'avocat, qui avait payé une petite fortune pour ces locaux, considérait qu'il en avait pour son argent : le panorama à lui seul valait son pesant de dollars.

Comme le reste du cabinet, cette salle était dotée d'un équipement à la pointe du progrès.

En entrant, ils trouvèrent la table ovale en acajou encombrée de tasses de porcelaine, de serviettes et de petites cuillères. Au centre trônait un carton de beignets.

Quand on eut débarrassé les reliefs du petit déjeuner, on se mit au travail. Chacun était à son poste. Comme le rituel voulait que certains témoins soient auditionnés par les deux parties avant le procès, on avait embauché une greffière du tribunal pour enregistrer la déposition de la secrétaire. A un bout de la table, l'employée attendait, les doigts au-dessus de sa machine à sténographier. D'un côté, Garrett et Joanne ; face à eux, Frank et Gabe.

L'air presque trop effacé, Joanne n'en restait pas moins attirante. Très classique, sa robe d'un bleu austère ne la flattait pas. Sa chevelure châtaine aux reflets dorés encadrait un visage agréable, de ceux qui reflètent l'intelligence. Ce qui saisissait le plus, c'étaient les yeux noirs, mais elle ne les maquillait pas, comme pour essayer d'en atténuer la force de séduction : encore une mal baisée... Une séance dans un salon de beauté un peu classe et elle vous ressortirait en cover-girl, songea Frank. Pour le reste, c'est un bon psychanalyste qu'il lui aurait fallu.

Il ouvrit la séance avec la procédure de routine :

— Pour les besoins du dossier, voulez-vous décliner vos nom, prénom et adresse.

Joanne Braslow s'exécuta.

— Depuis combien de temps travailliez-vous pour M. Marsh ?

— Six ans.

— Quelle était votre fonction ?

— J'étais sa secrétaire particulière, annonça-t-elle avec orgueil.

— Est-ce vous qui avez découvert le corps ?

Une lueur de souffrance transperça son regard.

— Oui, c'est moi.

— Où l'avez-vous découvert ?

— Il était dans son lit. Allongé sur le dos.

— Était-il attaché par des menottes ?

La question lui arracha une grimace de dégoût.

— Non.

— Attaché par autre chose ?

— Non.

— Comment avez-vous deviné qu'il était mort ?

Elle prit une profonde inspiration, détourna un instant le regard. Puis :

— Au début, j'ai cru qu'il dormait. J'ai essayé de le réveiller. Alors seulement je me suis rendu compte qu'il ne vivait plus. J'ai aussitôt appelé la police.

Frank jeta un coup d'œil aux notes gribouillées un peu plus tôt sur un bloc administratif.

— Vous entriez souvent comme ça, dans sa chambre ?

— Non. Lorsqu'il ne se trouvait pas dans son bureau, je l'appelais par l'interphone. Mais cette fois, ne recevant pas de réponse, j'ai pensé que ce n'était pas normal.

— Pourquoi ?

— Eh bien... Sa voiture était toujours devant la maison et d'habitude, quand il s'absentait, il me laissait un mot.

— Vous êtes donc montée dans la chambre.

— Pas tout de suite. J'ai commencé par faire le tour des autres pièces.

— Pourquoi ?

— Je savais que M. Marsh avait le cœur très fragile, avoua-t-elle tout bas. Je craignais qu'il ne se soit évanoui.

Son affliction paraissait sincère. On poursuivit pendant cinq minutes, avec des questions d'intérêt secondaire. Puis vint le moment d'entrer dans le vif du sujet.

— Vous connaissiez bien Rebecca Carlson ? demanda Frank.

A ce seul nom, Joanne se raidit, ses yeux ne furent plus que des fentes.

— Je la saluais quand je la voyais chez M. Marsh, mais c'est tout. Nous ne... nous parlions pas.

— Condamniez-vous leur relation ?

On eût juré que Joanne venait de marcher sur une crotte de chien.

— Ce n'était pas une relation normale, dit-elle, crachant presque chaque mot. Ils n'avaient pas des pratiques normales.

Ce commentaire retint l'attention de Mᵉ Dulaney. Elle avait vu la bande vidéo, bien sûr, mais elle donnait l'impression d'en savoir beaucoup plus.

— Comment êtes-vous au courant de leurs pratiques sexuelles ?

Elle se raidit plus encore sur son fauteuil aux bras duquel elle se cramponna si convulsivement que ses articulations en blanchirent. Frank se demanda si elle avait jamais fait l'amour. Et puis il chassa cette pensée.

— Je ne les espionnais pas par le trou de la serrure, si c'est ce que vous voulez dire, lâcha-t-elle. J'allais là-bas chercher des documents ou parler à Andrew. Et je tombais sur leurs... gadgets qui traînaient dans toute la maison.

Elle prononça le terme « gadget » avec un dégoût évident. Frank faillit sourire. On la sentait incapable de dominer ses émotions. Quand Garrett chercherait à tirer parti de son témoignage, au procès, Frank n'aurait aucun mal à l'anéantir : les juges n'aiment pas les témoins aux opinions trop tranchées, qui arrivent au tribunal avec des préjugés.

— Serait-il exact de dire que vous ne portez pas ma cliente dans votre cœur ?

— Je n'ai pas grande sympathie pour les gens qui se droguent, dit-elle d'un ton cassant.

Elle commençait à lui taper sur le système, cette sainte nitouche ! Elle agitait sa bonne conscience comme une décoration honorifique, comme si elle se croyait mieux que personne.

— L'avez-vous jamais prise sur le fait, en train de se droguer ?

La secrétaire de Marsh sauta sur cette question comme si elle n'attendait que ça depuis le début :

— Je l'ai vue de mes yeux renifler de la cocaïne. Cela vous suffit-il ?

Frank en resta comme deux ronds de flan. Il ne le montra pas pour autant. Il sentait peser sur lui le regard scrutateur de Garrett qui cherchait à surprendre une réaction en lui. Seule sa paupière qui tressauta, presque imperceptiblement, faillit trahir Frank. Surtout, ne pas montrer que l'on était choqué... Il entendit Gabe s'agiter, mal à l'aise, sur son siège et se promit de toucher deux mots à son stagiaire sur ce point. Il lui restait beaucoup à apprendre sur le petit jeu du fonctionnement de la justice américaine !

— Elle se droguait devant le personnel ? s'étonna Frank. Vous venez bien de dire que Rebecca a pris de la cocaïne sous vos yeux ?

— Un matin, j'étais chez M. Marsh et je la croyais encore là-haut, avec lui. Je suis allée à la salle de bains : j'y ai surpris Rebecca en train de s'enfourner dans le nez de la cocaïne qu'elle sortait d'une de ces petites fioles à l'aide d'une petite cuillère.

— Qu'a-t-elle dit en vous apercevant ?

— Elle ne s'est pas rendu compte de ma présence.

— Mais voyons... Comme c'est pratique ! railla-t-il. Elle est si grande que ça, cette salle de bains ?

Joanne ne répondit pas directement. Elle biaisa :

— Rebecca était beaucoup trop absorbée pour me remarquer.

— Avez-vous raconté la scène à votre patron ?

— Non.

— Pourquoi ne l'avez-vous pas fait ?

— Parce que je tenais à garder mon emploi. Et il ne m'avait pas chargée de lui révéler que sa petite amie n'était qu'une traînée doublée d'une cocaïnomane !

Le silence tomba sur la salle de réunions. On n'entendait que la respiration laborieuse de Joanne. Elle toisa Me Dulaney d'un regard mauvais.

— Frank ?

Il se tourna vers Garrett qui affichait son fameux sourire arrogant.

— Tu mangeras bien le dernier beignet...

Frank avait deux mots à dire à Rebecca... Et tout de suite. Il y avait trop de questions demeurées sans réponse ; trop d'éléments, dans la déposition de sa cliente, qui sonnaient faux, après le témoignage de miss Braslow.

Dans sa déposition, Joanne en avait révélé de sensationnelles. Au procès, son témoignage ferait l'effet d'une bombe, et Garrett en avait parfaitement conscience.

A l'approche du procès, la position du substitut du D.A. se consolidait ; son dossier paraissait maintenant tenir la route. Et les avertissements de Sharon alarmaient Frank. A peine avait-il accepté l'affaire qu'elle l'avait averti : cette affaire était un coup monté et le dindon de la farce, ce serait lui. Aurait-elle vu juste ?

Il fonça du cabinet à la galerie que tenait Rebecca. Pas besoin de l'appeler. Mieux valait la prendre au pied levé, avant qu'elle ait eu le temps de préparer des réponses appropriées.

Il trouva le magasin, gara sa voiture et surgit comme un boulet de canon dans la galerie.

Cette immense surface, occupée auparavant par une boutique de vêtements, était divisée en alcôves de dimensions réduites : cela donnait plus d'intimité à une exposition où figuraient des centaines de photographies. Dans l'une de ces alcôves, des ouvriers déplaçaient une cloison mobile pour préparer la nouvelle exposition. Si Frank ne les voyait pas, leurs jurons, vrombissements de perceuse et autres coups de marteau lui parvenaient. Un nuage de particules planait devant les spots halogènes destinés à mettre en valeur quelques-unes des photographies.

Il parcourut les salles, en quête de Rebecca, criant son nom dans le vacarme assourdissant. Il finit par la découvrir sur la mezzanine. Elle surveillait ses mouvements, silencieuse et scrutatrice. Il explosa de fureur :

— Vous vous êtes bien foutue de moi ! Mentir, alors qu'on enregistrait vos déclarations sur magnétophone. Alors qu'on vous demandait sans détour si vous preniez de la coke ! Des conneries, oui.

— Je n'ai pas menti.

— A d'autres ! L'accusation va produire un témoin oculaire qui dira au jury que non seulement vous vous droguiez mais qu'en plus, vous sniffiez votre cocaïne chez Marsh !

Elle l'observa. Puis elle descendit l'escalier

avec lenteur, telle la reine de la soirée qui paraît au bal. A mi-chemin, profitant d'une accalmie, elle assena :

— C'est Joanne qui ment.

Et les martèlements assourdissants reprirent.

— Je ne vous ai jamais dit qu'il s'agissait de Joanne ! beugla-t-il, bien fort pour qu'elle entende.

Rebecca atteignait le rez-de-chaussée. Se campant face à lui, elle le dévisagea, incarnation de l'orgueil blessé, de la candeur et de l'innocence.

— Qui d'autre qu'elle aurait pénétré dans la maison au moment où je m'y trouvais, moi ?

— Joanne vous a surprise en train de vous faire une petite pipe dans la salle de bains ! cracha-t-il.

— Mais elle était amoureuse de lui ! s'écria Rebecca, manifestant enfin une certaine véhémence. Elle veut qu'on me punisse... pas de l'avoir tué ; de l'avoir aimé. Tous les prétextes sont bons. Ça ne crève donc pas les yeux ?

Il la fixait d'un air furibond et grogna :

— Cet Andrew Marsh, ce devait vraiment être un type adorable puisqu'elles étaient toutes amoureuses de lui.

De nouveau cette douleur dans ses iris...

— Je ne touche plus à la cocaïne depuis mes dix-sept ans.

Frank ne se sentait pas convaincu...

— Miss Braslow fait un témoin très crédible. Et elle a beau vouloir votre peau, les jurés risquent bien de gober ce qu'elle raconte, avec son air de vierge effarouchée.

Rebecca parut méditer, puis :

— Vous avez accepté de vous charger de ma défense, Frank. Comment se fait-il que vous croyiez toujours que je vous mens ? Il n'y a qu'un imbécile pour mentir à son avocat. Mes connaissances vont quand même jusque-là.

— Je vous répète qu'elle fait un témoin parfaitement crédible.

— Et c'est elle que vous avez crue.

— Ce n'est pas ça que je vous ai dit.

— Vous le sous-entendez.

— Écoutez, je m'efforce de vous expliquer que quand la cocaïne viendra sur le tapis, ce sera votre parole contre celle de la secrétaire. Et qui croiront-ils, les jurés ? Ce serait malhonnête de ma part de ne pas vous prévenir : ces gens-là ne se fieront qu'aux apparences pour rendre leur sentence. Par conséquent, pour les ébranler, il me faut plus qu'un simple « je ne prends pas de cocaïne ». Ça ne fait pas le poids.

Haletante, ses seins se soulevant sous le jersey moulant, elle le fixait. Et une fois de plus, il fut ébranlé par la somptuosité de cette femelle. Il lui fallut lutter pour continuer à soutenir ce regard. Et avec la poussière qui lui chatouillait les narines...

— J'aimerais que nous allions voir ensemble quelqu'un que je connais, dit-elle brusquement en passant devant lui.

— Qui ?

— Vous êtes motorisé ?

— Pas question. Je n'ai pas de temps à consacrer à vos petits jeux.

L'écrasant d'un souverain mépris :

— Il ne s'agit pas d'un jeu, Frank. C'est ma vie que vous tenez entre vos mains. Vous êtes mon avocat, oui ou non ?

Saisissant son trench-coat, elle quitta la galerie d'un pas déterminé. Sans attendre qu'il lui ouvre la portière, elle s'installa sur le siège du passager. Écumant de rage, Frank n'eut plus qu'à se glisser derrière le volant.

Elle lui indiqua la direction du quartier chinois de Portland et le pilota, une fois passé l'immense portique de bois vermillon sculpté comme une dentelle. Cette arche gardait l'entrée de la zone réservée, à l'angle de la 4e Rue nord-ouest et de Burnside.

— Vous pouvez vous garer.

Il se rangea au bord du trottoir, arrêta le moteur et sauta de la voiture. Elle n'avait qu'à se débrouiller pour sortir toute seule ! Frank n'était pas d'humeur à jouer les gentilshommes. A travers la vitre, Rebecca le foudroya du regard et se décida finalement à sortir. Elle s'engagea sur le trottoir d'un pas vif.

Dans tous les Chinatown du monde, les maga-

sins semblent crouler les uns sur les autres.
Dans celui de Portland, on respirait également
cet air lourd d'huile de friture et de cuisine exo-
tique. D'une blanchisserie montaient des nuages de vapeur. Ils planaient sur une forêt de
hautes poubelles autour desquelles rôdaient
des chats de gouttière faméliques.

La pluie s'était mise à tomber. Frank trouva
ça très approprié. La pluie convenait à son
humeur.

Rebecca marchait devant. Elle poussa bientôt
une porte. Frank se retrouva dans une boutique
mal éclairée. Il referma derrière lui le battant
de bois gauchi. On entendit tinter un grelot
dans le fond de cet antre.

Il faisait bon, dans la boutique. Aux murs,
d'antiques armoires aux portes de verre dans
lesquelles s'alignaient pots et fioles de toutes
les tailles. Sur les étiquettes, une grande variété
de noms de plantes et d'organes d'animaux. Au
beau milieu de l'échoppe, sur le plancher,
d'autres armoires vitrées disposées au hasard.

Frank reçut en plein nez un festival de senteurs étranges où le sucré se mêlait à l'âcre. Au-
dessus de sa tête, trois ampoules ternies pen-
daient du plafond.

Bouillant de rage, Frank fit le tour de ce
capharnaüm, passant en revue les articles
innombrables, parfaitement conscient du
regard acéré dont Rebecca le gratifiait. Et puis
zut ! songea-t-il. C'est elle qui mène le jeu. A elle

de m'expliquer ce qu'on fabrique dans ce bouge.

Un Chinois menu émergea de l'arrière-boutique. Son visage s'illumina dès qu'il eut reconnu Rebecca.

— Bonjoul, Lebecca.

— Bonjour, Raymond. Je vous présente Frank Dulaney, mon avocat.

Frank gratifia le boutiquier asiatique d'un bref coup de menton.

— Je vous présente le Dr Wong, annonça Rebecca.

— Enchanté de faile votle connaissance, monsieur Dulaney. Vous êtes le bienvenu chez moi.

De nouveau Frank piocha du menton.

— Voudriez-vous lui montrer le produit que vous me prescrivez, Raymond ?

Le Dr Wong resta un instant perplexe. Il jaugea Frank et puis finit par acquiescer de sa voix fluette :

— Bien sûl.

Il trottina jusqu'à l'une des vitrines, la déverrouilla, en sortit une petite fiole contenant de la poudre blanche. Une petite cuillère y était attachée. Débouchant la fiole, il la tendit à l'avocat. Comme frappé par la foudre, Frank se recula en vitesse.

— Vous voulez rire !

Rebecca le couvait d'une prunelle terriblement moqueuse.

— Allez-y, dit-elle d'un ton détaché. Vous prétendez que je mens. Eh bien, menez votre enquête.

Frank plongea un doigt réticent dans la poudre blanche et s'en posa une pincée sur la langue. La saveur sortait de l'ordinaire. Mais ce n'était pas de la cocaïne, qu'il était quand même capable de reconnaître. Un peu penaud, il demanda à Rebecca :

— Dans ce cas, de quoi s'agit-il ?

Le visage de Rebecca s'éclaira d'un large sourire. Portant la main à sa bouche, elle étouffa un fou rire digne d'une écolière, ravie d'avoir plongé Frank dans une telle déconfiture.

C'est le Chinois qui répondit, s'adressant à Frank d'un ton paternaliste :

— De la lacine dc pivoine de Chine.

— De la racine de pivoine ! s'exclama Frank qui tombait des nues. Qu'est-ce que c'est que ce truc-là ?

— Cela lemplace l'aspiline, continua l'Asiatique avec son drôle d'accent.

Tout sourires, Rebecca insista :

— Expliquez-lui à quoi ça sert.

Le Dr Wong hocha la tête.

— Elle souffle de dysménollhée.

— Dysménorrhée. Des crampes, quoi.

— Des crampes ?

— Mais oui, des crampes. Dues aux règles douloureuses.

Tout ceci était d'un grotesque... Oui, Frank se sentait floué. Et simultanément, il se sentait soulagé d'un grand poids. Il l'avait, sa parade ; il l'avait, son témoin. Le Dr Wong pourrait expliquer ce que Rebecca sniffait, en fait de poudre blanche. Peut-être que les jurés ne s'en laisseraient pas conter mais qui ne tente rien...

Et la colère remonta. Pourquoi Rebecca ne l'avait-elle pas détrompé elle-même, et sur-le-champ ? A quoi bon cette démonstration en temps réel qui lui faisait perdre le sien ?

Frank ne mit pas longtemps à comprendre...

Rebecca saisissait fort bien le cours de ses pensées. Il l'avait traitée de menteuse, prouvant ainsi qu'il ne prêtait pas foi à ce qu'elle lui disait. Aussi, plus que par une simple explication, elle avait voulu lui prouver son erreur de façon spectaculaire. En bref, elle tenait à lui mettre le nez dans son caca.

Et Frank s'esclaffa. Qu'il était bon de se sentir à ce point soulagé. Le rire s'amplifia, le secoua, proche de la crise de nerfs. Maintenant, Frank tournait sur lui-même, incapable de retrouver sa respiration.

Ridicule. Mais d'un ridicule achevé. C'était de la racine de pivoine qu'elle prenait contre ses crampes. Pas de la cocaïne. Et il fallait que ce soit lui, son avocat, qui l'accuse de mensonge ! Heureusement, elle avait chaque fois une excuse, des explications qui l'innocentaient. Le soulagement combiné au remords lui donnait le vertige.

Dans l'arrière-boutique, le téléphone se mit à sonner. Le Dr Wong alla répondre, laissant Rebecca seule avec un Frank assez penaud. La culpabilité se lisait à livre ouvert sur le visage de l'avocat. Mais Rebecca voulut retourner davantage le couteau dans la plaie :

— Vous êtes censé être de mon côté. Vous auriez au moins pu m'accorder le bénéfice du doute.

— Vous avez raison, Rebecca.

Une pluie diluvienne se mit à frapper le carreau. Ce qui poussa Frank à se détourner de la jeune femme pour chercher sa voiture des yeux. Elle était garée à une bonne quinzaine de mètres. Tous deux risquaient de se faire copieusement saucer.

Comme si elle venait encore une fois de lire dans ses pensées, Rebecca lui demanda :

— Ça vous ennuierait d'attendre un petit quart d'heure ?

— Mais non, bien sûr.

Elle le remercia d'un doux sourire puis s'enfonça dans la boutique, se dirigeant vers une des alcôves ménagées dans le fond. Pour passer le temps, Frank erra dans ce capharnaüm, observant certains articles, incrédule à l'idée qu'on puisse consommer des substances pareilles. Il en avait l'estomac retourné.

La pénombre régnait dans l'échoppe du Chinois. On n'avait pas allumé, en dépit de l'orage. Frank faillit renverser un grand vase rangé au milieu du passage mais il retrouva l'équilibre. Comme pour se mettre en lieu sûr, il se dirigea droit vers la douce lumière fluorescente qui émanait d'une des alcôves. Progressant à pas de loup, il vint pointer le nez par-dessus le paravent de bois sculpté : sur une table capitonnée, à demi nue, Rebecca gisait là, sur le ventre. Un jeu étrange d'ombre mangée de lumière dessinait l'exquise musculature de son dos.

Retenant son souffle, Frank regarda le Dr Wong se mettre à l'ouvrage. Il enfonça de longues aiguilles d'argent dans le dos de Rebecca, lui triturant la chair à plusieurs reprises avant de passer à la suivante. La jeune femme gardait une totale immobilité. Son buste se soulevait et s'abaissait en un rythme régulier. Elle tournait la tête de l'autre côté, ce qui permit à Frank, survolté dans sa fascination, de se gorger du spectacle.

Elle avait le dos aussi soyeux que ses joues. La perfection. Quelle splendeur, ce dos solide et musclé... dont les sinuosités lui rappelèrent cette bande vidéo qu'il avait regardée une bonne dizaine de fois.

Et Frank admirait ce corps de femme qui sembla s'animer... à califourchon sur le sexe d'Andrew Marsh, couverte de sueur, elle rejetait la tête en arrière comme pour mieux aspirer le membre gonflé de cet homme en elle.

Oui, elle aimait jouer les dominatrices. En matière de sexe, ses goûts étaient flagrants...

110

avec Marsh, du moins, homme vieillissant, à la santé chancelante... Que serait-ce avec un étalon dans la force de l'âge, jouissant d'une santé éclatante ? Rebecca avait-elle simplement besoin de dominer ? Ne cherchait-elle pas celui qui la materait ? Le maître qui la soumettrait enfin ?

A la voir tendre ainsi l'échine sous l'aiguille acérée du Dr Wong, il lui trouva l'air bien passif. Les muscles détendus, la peau souple et lisse...

Il sentit son sexe se tendre vers cette vision érotique.

— Il pleut toujours ? demanda-t-elle.

Frank fut brutalement arraché à ses délicieux fantasmes. Elle avait deviné qu'il la regardait.

— Oui.

Elle tourna lentement la tête vers son voyeur.

— Vous voulez bien me reconduire chez moi ?

— Avec plaisir ! s'écria-t-il aussitôt.

Il se remit à errer dans la boutique, le temps qu'elle se rhabille. Dans la ruelle, la pluie tambourinait toujours sur le pavé ; les voitures projetaient des gerbes d'eau dans leur sillage.

Il se souvint de Sharon.

La veille, il avait joué les galants fous d'amour, avec sa fougue de nuit de noces, attendant son retour tout nu, lui et sa rose. Sharon avait certes répondu à ses étreintes avec enthousiasme... mais immédiatement après l'orgasme, elle l'avait chassé de l'esprit, pour mieux se concentrer sur des préoccupations autrement plus importantes.

Et elle en trouvait toujours, des questions plus importantes que lui.

Sharon le traitait de haut, sans tenir compte de ce que leur couple lui devait, à lui. En fait, elle l'utilisait. Tout tournait autour de l'épouse à laquelle il fallait rendre la vie plus facile. Les compromis, les sacrifices, c'était lui qui les faisait. Sharon se contentait de prendre. Quelle injustice !

Sharon avait une fois de plus remis son père sur le tapis. Pour rabaisser Frank. Pour mieux lui prouver qu'il n'avait pas voix au chapitre.

Rebecca aussi possédait sa propre affaire. Et ça ne l'empêchait pas de consacrer du temps à autre chose.

Frank eut soudain très peur du cours que prenaient ses réflexions. Surtout, ne pas penser aux loisirs de Rebecca...

— Je suis à vous, dit Rebecca qui se tenait maintenant derrière lui.

Il pivota et plongea au fond de ce regard frangé de cils immenses. Dans cette échoppe mal éclairée, l'incarnat de son teint semblait comme régénéré, ses iris luisaient, elle avait recouvré sa vitalité maximale grâce au traitement de M. Wong. Le médecin chinois, non loin d'elle, immobile, arborait un de ces fins sourires qui en savent long. Sur un hochement bref de la tête, Frank ouvrit la porte à Rebecca et tous deux se ruèrent sous la pluie.

Ils roulèrent en silence, perdus dans leurs songes. Frank sentait très fort la présence de cette femme sensuelle et libérée. Il avait dans les narines l'huile parfumée dont le Dr Wong lui avait pétri le dos, baume aux senteurs d'épices qui annihilait celles du parfum qu'elle portait en temps ordinaire.

Une odeur différente, assez agréable.

Les essuie-glaces rapaient la vitre, émettant un bruit de succion dans le silence. Frank eut envie d'allumer la radio mais une crainte inexplicable l'en retint. Il se sentait dans un drôle d'état, comme aspiré hors du réel.

Rebecca habitait sur une péniche. Ils n'atteignirent le quai où le bateau se trouvait amarré qu'entre chien et loup. Très galamment, Frank lui offrit l'abri de son parapluie pour la conduire jusqu'à sa maison sur l'eau.

Aussi grande qu'une maison normale, elle comprenait un étage. Sur le pont supérieur, une vaste chambre fermée par un panneau en verre coulissant ; sur le pont inférieur, de plain-pied avec le quai, étaient disposés une table, quelques chaises ainsi qu'un grand parasol.

— Je ne suis jamais monté dans une maison flottante, commenta Frank en contemplant la péniche de l'extérieur.

Rebecca le dévisagea de ses yeux immenses, les lèvres entrouvertes.

— Si vous voulez profiter de l'aubaine...

Il fut profondément remué par les modulations de sa voix. Que lui proposait-elle vraiment en fait de visite guidée ? Mordu par un sentiment de culpabilité, quand elle ouvrit la porte, qu'elle franchit le seuil de son antre, il demeura sur le quai. Elle le jaugea, lui posant une question muette.

— Ce ne serait pas bien.

— Pourquoi ?

— Parce que je suis votre avocat. De quoi aurait-on l'air ?

— Et si vous n'étiez pas mon avocat ? demanda-t-elle, regardant ailleurs.

Il fut assailli par un tourbillon de pensées contradictoires. Provocante dans sa séduction, elle était à la fois vénéneuse et alléchante. Au-delà de son aura bel et bien diabolique, s'esquissait la promesse d'une expérience inédite, un univers de surnaturel, un déchaînement de passion dont un homme se contente généralement de rêver. Cette promesse sourdait de son regard et de sa voix.

Tout comme dans la boutique de l'herboriste, certaines séquences de la bande érotique surgirent. Rebecca y enfourchait Andrew Marsh. De tout son corps libéré, elle se déchaînait en une frénétique cavalcade amoureuse de tout le corps. Il la vit exulter, adoratrice de la chair, prêtresse du plaisir.

Frank aimait Sharon. Il n'en était pas moins

homme. Et comme tous les hommes, il lui arrivait d'avoir des fantasmes pornographiques. En cet instant, il s'imaginait en train de faire l'amour avec Rebecca. Si elle lui proposait de vivre ses fantasmes...

Son sexe se remit à durcir, tendant le pantalon. Cette femme, il la voulait.

Pourtant, s'il succombait, il risquait gros. Parce qu'il s'agissait d'une cliente. Parce qu'elle était dotée d'un pouvoir fabuleux, surtout, un pouvoir de domination auquel il n'avait jamais été confronté. Et ce pouvoir qui sourdait de sa chair, le pouvoir d'émasculer l'homme qu'elle dominerait, le terrorisait. La promesse de toutes les jouissances physiques qui s'esquissait dans le regard de la tentatrice colora sa peur d'une excitation très étrange.

— Ce serait encore pire si nous n'étions pas en affaires, dit-il.

Rebecca le soupesa du regard. Puis, un coup d'œil à droite, un coup d'œil à gauche :

— Personne ne nous verra.

Il fallait partir. Et tout de suite. Une seconde de plus et c'en était fait de lui... Ses jambes qui refusaient de lui obéir... Cela lui demanda un effort effroyable, un effort surhumain... Enfin, il réussit à s'éloigner.

— Bonsoir, Rebecca, lâcha-t-il d'une voix caverneuse.

Aussitôt elle le rappela :

— Frank... Vous faites souvent l'amour, avec votre femme ?

Il lui glissa un regard furtif. Elle l'attendait sur le pas de la porte, tout sourires.

Non !

L'avait-elle sélectionné après avoir détecté en lui certains signes... ? Était-ce l'instinct qui avait deviné en elle, l'expérience due à ses mœurs ? Les hommes ne présentaient pas grand mystère pour cette femme fatale. Sa faculté de discernement décuplait son pouvoir déjà immense.

— Tout le temps, répondit-il.

— Menteur.

Il n'en fut pas blessé. C'était à elle de parler et jamais elle ne manquait la moindre occasion de renvoyer la balle.

— A demain, au tribunal !

Cet adieu dégrisa brutalement Rebecca. Frank la vit se raidir.

— D'accord, murmura-t-elle, la voix soudain fragile.

— Vous avez peur ?

— Pas si vous m'assurez que je n'ai rien à craindre.

Il lui adressa un grand sourire :

— On va leur mettre une de ces peignées !

Il remonta la passerelle qui vibra sous ses talons. Une fois à l'abri dans son véhicule, Frank soupira. Il était fier de lui. Elle le faisait bander comme un cerf. Pourtant, il avait

116

résisté à cette diabolique tentation. Il s'en félicita.

A observer à distance la péniche qui flottait sereinement sur les eaux, à la lueur orangée d'un crépuscule qui lâchait ses derniers feux, il éprouva un regain d'orgueil.

Surtout qu'il bandait plus fort que jamais...

7

On n'eût pas rêvé plus belle journée pour l'ouverture d'un procès. Le fond de l'air était frais mais le soleil brillait haut. Sur les marches de marbre d'un gris scintillant qui s'élevaient jusqu'au palais de justice, les longues ombres que jetaient les majestueuses colonnes du fronton ressemblaient aux doigts d'un géant noir.

Dès le début, il fallut compter avec les journalistes accourus en force. Ceux de la région se partageaient les lieux avec des reporters envoyés par les grandes cités de la côte Est. Des camions bourrés de matériel électronique, avec leur grosse antenne parabolique sur le toit, stationnaient dans la rue, sous la garde de la police.

Il en sortait de gros câbles noirs comme autant de serpents sinuant sur les trottoirs. Des costauds, aussi bien hommes que femmes, chargés de caméras, écumaient les abords tel un nuage d'insectes, reliés à leurs techniciens sono comme à une cohorte d'alpinistes casqués de micros.

Par son sujet scabreux, le procès avait l'audience d'une cause célèbre : l'histoire aussi vieille que le monde d'une belle fille sans cœur qui assassine l'homme d'un certain âge qu'elle a séduit pour son argent. L'avidité du public paraissait insatiable. Les cinq mois qu'avait duré l'enquête avaient excité leur appétit.

L'administration dut organiser chaque jour un tirage au sort pour délivrer aux journalistes des autorisations de pénétrer dans la salle d'audience trop exiguë. Les reporters qui n'avaient pas obtenu de passe baguenaudaient devant le perron, priant pour que la chance tourne en leur faveur le lendemain.

Frank et Rebecca non plus n'étaient pas libres de leurs mouvements. L'ennemi les guettait sans cesse. Omniprésent, il surveillait les moindres accès au tribunal, cherchant à leur coller caméras, micros et magnétophones sous le nez pour mieux les bombarder de questions répugnantes.

Frank proclama dès le premier jour l'innocence de sa cliente. Puis il se refusa à toute déclaration. Les manchettes de la presse à sensation criaient à tous vents que la fille était coupable de meurtre. A quoi bon essayer de raisonner puisque ses moindres propos se verraient détournés de leur sens ? Frank se mura donc dans le silence.

Douché par une première empoignade avec les journalistes, Frank décida de venir se garer dans le parking souterrain d'où il emprunterait l'ascenseur jusqu'à l'étage de la salle d'audience. Il courait encore le risque de se voir assailli, dans le hall, mais des ascenseurs à la salle, la distance serait supportable.

Il avait fallu à Frank et à Garrett un jour et demi pour sélectionner les membres du jury à partir d'un premier panel établi par tirage au sort des listes électorales. Il s'agissait là d'une opération longue, onéreuse, qui demandait une grande concentration. La loi américaine veut qu'on ne retienne comme membres du jury que des citoyens sans parti pris — on élimine donc les opposants à la peine de mort, les militants d'une cause quelconque, ceux qui savent à l'avance quel serait leur verdict. Ainsi obtient-on un jury attentif, souple et objectif.

Cette sélection a lieu juste avant le procès, et seulement si l'accusé s'obstine à plaider non coupable — ce qui était le cas de Rebecca Carlson. Ce sont les avocats de l'accusation et de la défense qui se chargent de poser aux futurs jurés les questions éliminatoires. En fonction de leurs réponses, on les garde ou non. Maîtres Garrett et Dulaney filtrèrent donc avec soin les

« candidats » en recourant à des techniques de pointe pour définir leur profil psychologique. Frank leur posa des questions destinées à éliminer ceux qui, sans s'être formé une opinion sur l'affaire Carlson, demanderaient sans aucun doute vingt ans de prison pour Rebecca.

Il éliminait les bibliothécaires, par exemple; les gens en position d'autorité, aussi, comme les chefs d'entreprise ou les professeurs: cette catégorie tend à avoir des idées rigides, organisées, à manquer de compréhension pour ceux qui font preuve d'originalité dans leur choix de vie, leurs pratiques sexuelles.

En fin de compte ni Garrett ni lui n'obtinrent le jury idéal. Ils n'en eurent pas moins l'impression d'avoir écarté ceux qui semblaient trop favorables à l'adversaire. Désormais, ce serait ces gens qu'il faudrait convaincre. Eux seuls avaient le pouvoir de décider si Rebecca méritait vingt ans de réclusion ou bien la liberté. Verdict qu'ils devraient voter à l'unanimité.

Malheureusement, Rebecca s'obstinait à mettre sa cause en péril. Malgré les instances de Frank, elle avait refusé catégoriquement de s'habiller avec plus de discrétion. C'était la séduction personnifiée, le contraire exact de l'image que Frank voulait qu'elle projette de sa personne.

Les mèches blondes savamment décoiffées accentuaient la passion du regard, la bouche pulpeuse. Sa robe marron clair, très élégante, lui collait au corps comme une seconde peau.

Elle disait qu'elle était innocente ; que cela seul comptait. A lui de se montrer assez bon plaideur pour ancrer cette évidence dans le crâne des jurés.

Il la sermonna sur la façon dont les gens perçoivent la réalité, sur les préjugés qui circulent, lui démontrant que s'ils voyaient en elle une croqueuse d'hommes, elle récolterait une condamnation pour meurtre. Non que les membres du jury soient plus bêtes que les autres... Simplement ils sont humains, donc sujets à l'erreur.

Frank usait sa salive pour rien. Rebecca se montrait intraitable. Elle était ce qu'elle était. Pas question de donner — selon ses termes — dans l'hypocrisie. Il faudrait qu'ils s'y fassent. A prendre ou à laisser.

Dans son exaspération, Frank lui rappela que les jurés étant seuls maîtres à bord, ils feraient ce qui leur chanterait. Et ce serait elle, Rebecca, qui écoperait. Pas lui. Cet argument ne la réduisit pas davantage à l'obéissance.

Il commençait à trouver son attitude déconcertante, frustrante même.

Rebecca était une battante. Et pourtant sur ce point-là, elle adoptait un comportement de victime. Pourquoi ? Cette femme n'avait rien d'une imbécile. Elle le lui avait prouvé, au cours des mois qui venaient de s'écouler. Pourquoi pareil entêtement ? Par simple orgueil ?

A présent qu'on en avait terminé avec la sélection des membres du jury, les dés étaient jetés. Comme toujours, Frank en eut l'estomac noué tandis qu'une décharge d'adrénaline lui fouettait les sangs. Symptômes systématiques, à l'entrée d'un procès retentissant. Certains les redoutent. Pas Frank Dulaney. Cette sensation bien connue, il l'attendait avec impatience. C'est de n'éprouver aucune appréhension qu'il se serait affolé. Le trac le mettait en effet sur le qui-vive, le rendant vigilant, démultipliant son pouvoir de concentration.

Le substitut Garrett était assis à la table du plaignant. Exactement à la même place que lors du dernier procès, qu'il avait perdu, et contre Frank. Un échec cuisant. Frank sentait d'ailleurs que son adversaire ne le lui pardonnait toujours pas, qu'il grillait d'envie de lui régler son compte.

Maître Garrett arborait un nouveau costume rayé bleu marine dont la coupe des plus classiques ne parvenait pas à masquer sa belle musculature. Sur la chemise blanche amidonnée, la cravate rouge jetait sa couleur de feu. La cravate aux couleurs du pouvoir. Avec un semis de drapeaux américains surbrodés. Et comme toujours, Garrett récolta des coups d'œil admiratifs de ces dames, y compris de la part des femmes jurées.

Le costume de Frank était de coupe et de style semblables à celui de son adversaire. Lui aussi il portait chemise blanche — au lieu des bleues qu'il affectionnait. Lui aussi avait sorti la cravate qui en impose, la cravate vermillon. Sur la sienne, pourtant, pas de bannière étoilée. Il y a des limites...

Il remarqua une jeune femme assez quelconque installée à côté de Garrett. Une inconnue, sans rien de remarquable. S'agissait-il d'une des psychologues qui avaient secondé le substitut lors du choix des jurés ? Peu importe. L'adversaire, c'était Garrett seul.

A côté de Frank, à la table réservée à la défense, Rebecca avait pris place. Gabe se trouvait entre eux deux et, au cours de ce procès, il ne jouerait que le rôle de stagiaire diligent. Statut que Gabe prenait fort bien. Il se savait encore en apprentissage et étudiait, se pénétrait de l'expérience d'autrui.

Un frémissement de plaisir anticipé parcourut la salle. Aux premiers rangs, derrière la barrière, des reporters ; au-delà, les spectateurs. On avait ciré de frais toutes les boiseries du tribunal qui fleurait bon la cire d'abeille. Jusqu'aux cuivres de la barre et du banc des jurés qui reluisaient. L'Administration avait certainement saisi que tous les feux de la rampe étaient maintenant braqués sur la bonne ville de Portland. On avait voulu astiquer son image de marque.

Le procès serait présidé par le juge Mabel Burnham, et c'était une chance. La cinquan-

taine, cette Noire qui ne s'en laissait pas conter
était dotée de poigne et d'assurance. Plus
important encore, elle était impartiale. Juriste
de renom, cette ancienne avocate avait la réputation de ne tolérer les coups bas de personne.
Frank y vit là un avantage dans la joute qui
allait l'opposer à Garrett.

— Messieurs, la Cour !

L'assemblée se leva. Le sort en était jeté.

Le juge Burnham prit place, imitée par toute
la salle, et attaqua :

— Je vous préviens que ce procès com-
portera des éléments extrêmement scabreux.
Je ne peux pas l'empêcher. Ce que je peux
empêcher, en revanche, ce sont les grivoiseries dans lesquelles pourraient se complaire
les avocats de l'accusation ou de la défense.
Éventuellement les commentaires salaces
de l'assistance. Nous ne sommes pas au cirque,
ici. Considérez-vous donc comme bâillon-
nés...

Un rire secoua l'assistance qui avait saisi
l'allusion aux pratiques sado-masochistes de
l'accusée. Le juge sourit aux reporters.

— Et le bâillon, j'adore. Sachez que je saurai
en abuser.

Le silence s'abattit. Le regard du juge se
porta successivement sur Frank puis sur son
adversaire qu'elle prévint d'un ton cinglant :

— Je n'autoriserai donc que les extraits des
dépositions ainsi que les témoignages, faute de

quoi on vous tiendra personnellement pour responsables de vos propos. Est-ce bien clair ?

Les deux avocats acquiescèrent.

— Est-on prêt à commencer, monsieur le substitut ?

Garrett se mit debout.

— Oui, Votre Honneur.

— Eh bien, procédons.

Garrett se donna le temps de prendre une longue inspiration puis il vint se camper devant le banc des jurés. Superbe dans son assurance, il jouait un tantinet les offensés.

Un truc du métier, une astuce éculée... Pour mieux démontrer à ces gens qu'il était persuadé de la culpabilité de Rebecca, qu'elle aurait dû se contenter du tribunal de police au lieu d'engager une procédure pareille, au lieu de les déranger, eux, les membres du grand jury. Quand on est coupable, aux États-Unis, on plaide coupable, on se fait condamner bien docilement au tribunal de police, sans déclencher une procédure compliquée : voilà ce que Garrett tentait de dire au banc des jurés pour les mettre dans sa poche. Pour les monter contre Rebecca.

Jouant des expressions du visage, des modulations de la voix, des moindres mouvements du corps et des mains, le substitut leur confirmait qu'il partageait leur indignation devant un tel déploiement judiciaire.

Il fallait un brillant substitut pour atteindre

le but recherché. Et Garrett était intelligent, rusé, même. Talents qu'il déployait pour convaincre le jury :

— Andrew Marsh a commis une erreur fatale : il est tombé amoureux.

Garrett s'interrompit pour préparer son effet, puis reprit avec emphase :

— Il est tombé amoureux d'une femme sans pitié, d'une calculatrice qui recherchait l'homme d'un certain âge, fragile du cœur mais au crédit bancaire très solide.

Il tendit un doigt accusateur vers Rebecca. Stratagème qu'adorent les substituts et qui marche toujours. Pour prouver aux jurés qu'ils ont pour eux l'évidence de la vérité.

Frank en avait des palpitations. Il glissa un regard en coulisse à sa cliente : très froide, le menton volontaire, sereine et emplie d'assurance, elle ne flancha pas sous le feu des regards qui, suivant le doigt de Garrett, convergèrent vers sa personne.

Frank lui avait expliqué le comportement à adopter en pareil cas. Elle avait bien saisi la leçon. Dommage qu'avec ce maquillage et cette tenue de femme fatale... Si seulement elle avait suivi ses conseils dans ce domaine... Toute blonde dans sa robe moulante comme un fourreau, elle fournissait une illustration pulpeuse à la démonstration de Garrett. Le doigt toujours tendu, il en rajouta :

— Regardez-la, l'accusée, Rebecca Carlson.

Eh bien, au fur et à mesure du procès, vous allez découvrir que cette femme constitue également l'arme du crime.

Le bras s'abaissa enfin. Le substitut se colla le poing sous le menton, comme pour mieux réfléchir. Puis il redressa la nuque :

— Une personne, constituer une arme, me direz-vous ? Est-ce possible ?

Et il fournit lui-même la réponse :

— Eh bien oui, c'est possible. Voici comment... Si je vous assène un coup mortel, l'instrument de votre mort, c'est moi. Peut-on me considérer comme une arme ? Oui. Et c'est en arme fatale que s'est transformée Rebecca Carlson.

« L'accusation se fait donc fort de prouver qu'elle a séduit Andrew Marsh, qu'elle l'a manipulé jusqu'à ce qu'il rédige un nouveau testament... pour lui laisser... devinez combien ? Dix... millions de dollars !

Une rumeur souleva la salle. Avec un mobile pareil... Garrett attendit que l'information ait bien pénétré.

— Rebecca Carlson s'obstinait à recourir à des techniques amoureuses de plus en plus épuisantes... tout en sachant bien que cet homme était cardiaque. Et qu'a-t-elle fait quand elle a constaté que le sexe ne le tuait pas assez vite ? Elle lui a donné de la cocaïne. Le cœur n'a pas supporté les effets combinés de la drogue et d'une sexualité violente. Voilà comment l'accusée est parvenue à ses fins.

128

Il attendit que son auditoire ait digéré la démonstration.

— Mesdames et messieurs les jurés, vous voyez en elle une femme très belle. Pourtant, à la fin du procès, vous ne verrez plus qu'une variante du revolver, du couteau, bref d'un instrument servant à commettre un meurtre. Cette femme est une tueuse. De la pire espèce... Une tueuse qui se déguise en amoureuse.

Garrett s'accrocha au bord de sa table, comme dans l'attente, et puis il se rassit. Le juge passa à Frank :

— Maître Dulaney ?

Frank remua ses documents avant de se lever. Il glissa les mains dans ses poches pour se donner une allure décontractée tandis qu'il venait lentement se poster face au banc des jurés. Il sortit alors les mains de ses poches et, bras ballants :

— Mesdames et messieurs les jurés, on vous a prévenus lors de la sélection du jury que vous auriez droit durant ce procès à des témoignages sexuellement explicites. Ce que vous allez entendre risque même de vous choquer profondément.

Il baissa le front, se frotta le menton et puis releva vers eux un visage amical rempli de sincérité tandis qu'il continuait, la voix calme, posée :

— Pourtant, ce n'est pas à cause de ses choix sexuels que Rebecca Carlson se retrouve au tribunal. Voilà ce qu'il vous faut comprendre si vous voulez rendre un verdict équitable.

Il se redressa de toute sa taille, élevant la voix :

— C'est un procès pour meurtre qu'on lui intente. Et l'accuser de meurtre, quelle aberration !

Il toisa Garrett l'espace d'un instant, puis revint au banc des jurés qu'il fixa tour à tour.

— On voudrait vous faire croire que Dieu sait comment, elle a tué Andrew Marsh par la fornication.

Encore une pause, savamment dosée.

— Or sachez que cette accusation portée contre ma cliente ne repose pas sur des faits concrets et véritables, mais sur du vent, sur des causes indirectes. Est-ce un crime que d'être belle ? Est-ce un crime de tomber amoureuse d'un homme mûr ? Non. Et cette affaire n'aurait jamais dû venir devant les tribunaux. Il n'y a pas matière à procédure... Parce qu'elle n'est pas coupable ! Rebecca Carlson est innocente.

Il ploya le buste, requérant ainsi leur pleine attention. Et il l'obtint.

— Et maintenant qu'elle se trouve devant le tribunal, je sais que quand vous aurez entendu les témoins... de façon impartiale... quand vous aurez entendu les dépositions... de façon impartiale... vous laverez Rebecca Carlson des accusations qui pèsent contre elle. Vous l'acquitterez.

130

Frank remercia ensuite les jurés de leur attention, sans oublier de bien noter leur expression, et il se rassit. Il était content. Ces gens avaient réellement l'air de s'efforcer de ne pas se laisser influencer par l'une ou l'autre partie. Il les sentait prêts à étudier les faits avec un maximum d'objectivité, à ne juger qu'après audition des témoins. Oui, il avait franchi avec succès le premier obstacle.

Il chercha à capter l'attention de Rebecca afin de vérifier qu'elle tenait bien le choc. Elle perçut son mouvement et... Frank eut du mal à s'en remettre.

Dans le regard de la jeune femme, une adoration totale...

Un frisson irrépressible lui parcourut l'échine.

Comme témoins, Garrett appela d'abord les inspecteurs Reese et Griffin. Témoignage bien maigre. Ils expliquèrent comment on les avait appelés, comment ils avaient découvert Marsh puis téléphoné au service médico-légal.

Garrett appela ensuite le médecin légiste qui avait pratiqué l'autopsie. C'est avec l'air de périr d'ennui que le Dr McCurdy, vieux routier des affaires de meurtre, y prit place. Comme on communique le moins de renseignements possible à l'avocat de la défense avant le procès, Frank dressa l'oreille : il allait enfin savoir quels étaient les atouts du substitut.

— Docteur, pourriez-vous exposer les résultats de l'autopsie d'Andrew Marsh ?

— Certainement, monsieur le substitut. J'ai découvert une forte concentration de cocaïne dans le sang du défunt. Étant donné la maladie cardiaque dont souffrait déjà la victime et l'hyperactivité sexuelle dont on a trouvé les traces dans sa chambre, la prise de cocaïne a déclenché un surmenage du muscle cardiaque et une grave arythmie ventriculaire qui a entraîné l'arrêt du cœur.

— En d'autres termes, une crise cardiaque.

— En effet.

— Se peut-il, docteur, que M. Marsh se soit régulièrement adonné à la cocaïne ?

McCurdy secouait la tête avant même que Garrett ait achevé sa question.

— Non, dit-il. Les parois nasales étaient bien trop lisses pour dénoter ne serait-ce qu'un usage occasionnel.

— Avez-vous déterminé de quelle manière il a absorbé le poison ?

— On a trouvé près du lit un atomiseur nasal rempli d'une dilution d'eau et de cocaïne. Au moment de la mort, la victime souffrait d'un rhume de cerveau. Je suppose qu'on l'a droguée à son insu.

— Objection, Votre Honneur ! protesta Frank en levant haut le bras. Cette affirmation n'est que pure spéculation. Le témoin nous fait part de ses analyses personnelles. Je demande

132

que cette phrase ne soit pas enregistrée au dossier.

— Accordé, répliqua le juge qui ajouta à l'intention du banc des jurés : Le jury ne tiendra pas compte des commentaires du témoin.

Facile à dire... songea Frank. Les jurés n'enregistreraient que ce qu'il leur plairait de mémoriser. Bien qu'on lui demande de les effacer de son souvenir, les images s'impriment, les mots se fixent dans la mémoire d'un juré. Les injonctions du juge, comme chacun sait, n'ont que peu d'effet. Voilà pourquoi les substituts citent souvent des témoignages ou des pièces à conviction qui ne seront pas retenus mais qui influenceront malgré tout le jury.

Le tout, c'est de ne pas abuser car le juge, agacé, risque de suspendre l'audience. Or un procès qui joue les prolongations indispose les jurés.

Bob Garrett venait de marquer un point.

Il sortit ensuite d'un sachet transparent un spray nasal pour le montrer à la ronde.

— S'agit-il du spray découvert au chevet de la victime, docteur ?

— Oui, dit McCurdy.

— Ce spray est enregistré comme pièce à conviction n° 1.

Cet enregistrement s'effectue en effet durant le procès. Le juge opina du bonnet et nota quelques mots sur son carnet, imité par le greffier du tribunal.

— Docteur McCurdy, quels risques présentait la prise de cocaïne pour un cardiaque tel que M. Marsh ?

Du revers de la main, le médecin légiste brossa une poussière invisible accrochée à sa manche et expliqua :

— Une accélération excessive du rythme cardiaque.

— Et s'il a eu des rapports sexuels après avoir absorbé un pareil stimulant ?

Le légiste eut un instant d'hésitation puis :

— Aussi dangereux qu'un coup de revolver en plein cœur.

Frank fut choqué par ce raccourci révoltant mais habile. McCurdy confirmait donc que la mort de Marsh était bien due à la poudre combinée au sexe. Il pensa formuler une objection mais s'abstint. Ces insinuations, le jury les avait de toute façon déjà enregistrées, et comme le juge risquait de les faire maintenir, il tint sa langue : ce serait la meilleure façon de les faire oublier. Garrett préleva un dossier sur sa table. Un fin sourire aux lèvres, il en commença la lecture :

— Le rapport d'autopsie précise qu'au moment de la mort, M. Marsh était attaché. Pourriez-vous développer ?

Celle-là, Frank ne la laisserait pas passer. Il sauta sur ses pieds, agitant le bras :

— Objection, Votre Honneur ! L'accusation essaie de provoquer des déclarations tendancieuses et déplacées !

— Votre Honneur, protesta Garrett, les bras grands ouverts, paumes levées vers le plafond. Le jury a quand même le droit de connaître les circonstances entourant le décès de la victime.

Dans le regard du juge passa une lueur ombrageuse. Elle fit signe aux deux avocats de s'approcher de son bureau. Ses ongles, longs et rouges, ressemblaient à des serres. Mabel Burnham fronça les sourcils, se pencha en avant et lança d'une voix sifflante :

— Vous avez décidé de vérifier si je tiendrais parole, maître Garrett ?

— Non, Votre Honneur, s'excusa Garrett, penaud. Mais que voulez-vous que j'y fasse si vous classez ce rapport d'autopsie dans la catégorie des « grivoiseries » ?

Elle resta songeuse un instant, puis :

— Surveillez vos paroles, l'un comme l'autre... Objection rejetée ! cria-t-elle ensuite à la cantonade. Quant à vous, docteur McCurdy, vous pouvez donner des détails, comme vous le demandait Mᵉ Garrett.

Les avocats regagnèrent leur table respective.

— Après examen des marques qui lui sciaient les poignets et des rainures qui creusaient les montants du lit, on a pu déduire que la victime y était attachée par des menottes.

Cette révélation tira un murmure à l'assistance.

— Au moment de la mort ? insista Garrett.

— Oui. La peau était nettement sciée, il avait des bleus. Il s'est débattu avant de mourir.

Garrett buvait du petit-lait. Il s'empressa de remercier le médecin légiste et, souriant à Frank :

— Je laisse le témoin à la défense pour le contre-interrogatoire.

Frank se leva et alla se placer près de la barre, bras croisés.

— Vous avez affirmé sous la foi du serment que M. Marsh a succombé d'après vous à une crise cardiaque alors qu'il était encore attaché ?

— Oui.

— Et pour preuve, vous vous fiez aux marques de ses poignets ?

— Oui.

— Lesdites marques, n'aurait-il pu se les faire au moment où...

Pour mieux suggérer sa pensée, Frank se mit à faire des moulinets des bras, comme s'il cherchait à retrouver l'équilibre.

— ... où il battait l'air, dans la fougue d'un violent transport amoureux ?

— Possible, déclara le légiste après un temps de réflexion.

Frank ne s'estima pas satisfait :

— Avez-vous remarqué des cicatrices plus anciennes qui prouveraient une utilisation antérieure des liens ?

— Sur les chevilles simplement.

— Là où personne ne les verrait...

Commentaire qui fit bondir Garrett:

— Objection, Votre Honneur ! L'avocat de la défense avance des conclusions subjectives et tendancieuses.

— Objection retenue, approuva le juge. Surveillez-vous, maître Dulaney.

Frank fit oui de la tête et reformula la question:

— Ces cicatrices révèlent-elles que M. Marsh se faisait régulièrement attacher dans les rapports amoureux ? Qu'il était adepte du « bondage » ?

— Objection ! s'écria Garrett. La défense essaie de faire appel à l'avis personnel du témoin.

— Objection retenue.

Frank remarqua que le juge commençait à s'échauffer. Allait-elle ajourner l'audience ? Il lui restait pourtant une certaine marge de sécurité.

— Docteur, l'examen médical permet-il d'affirmer que ce n'est pas M. Marsh lui-même qui avait décidé de se droguer ?

Garrett se rassit enfin.

— Il paraît peu probable qu'un homme de son âge, étant donné son état...

— Êtes-vous psychiatre, docteur ? le coupa Frank.

— Non, mais...

— Objection, Votre Honneur ! Cette discussion ralentit le cours du procès.

Frank fit la grimace, s'arrangeant pour que les jurés le remarquent ; la grimace de quelqu'un qu'une interruption aussi déplacée scandalise. Le juge Burnham discerna la manœuvre manipulatrice ; son irritation s'accrut d'un cran.

— Objection retenue ! cria-t-elle d'une voix de stentor.

Au tour de Frank de se trouver dans des eaux dangereuses. Mieux valait se montrer prudent. Il se tourna vers Rebecca pour lui adresser un sourire discret. Quand il reçut son sourire en retour, il eut l'impression que dans la salle d'audience, la lumière venait de renaître.

Il se retourna vers le témoin et revint à la charge :

— Comment en êtes-vous venu à déterminer ce que M. Marsh avait fait de son plein gré ou pas ?

Question piège, à laquelle il était impossible de répondre. McCurdy ne put que déclarer :

— Le simple bon sens...

— L'autopsie vous a-t-elle révélé qu'il en avait ?... Savez-vous de science sûre si Andrew Marsh avait réellement du bon sens ? Ne venez-vous pas d'affirmer qu'il aimait, par goût, les pratiques douloureuses puisqu'il se faisait attacher ?

— Votre Honneur... fit Garrett, se relevant à moitié pour plaider sa cause.

Frank leva les mains en signe de reddition :

— Je n'ai plus de question.

Mais le juge Burnham n'allait pas le lâcher aussi facilement. Assez fort pour que tous l'entendent, elle le prévint :

— Ce procès va nous paraître interminable, maître, si vous m'obligez à vous donner autant de coups de semonce dès le premier jour.

Frank garda la tête baissée puis il s'excusa. En revanche, lorsqu'il se rassit, ce fut le torse bien droit, en arborant un air plein d'assurance. Il se félicitait en effet d'avoir partiellement émoussé la déposition du médecin légiste. Rien qu'un peu, mais...

Il sentit la présence de Rebecca, si proche... Son parfum dont les bouffées saturaient l'atmosphère. Lorsqu'il se retourna, il lut une immense reconnaissance au fond de ses yeux. « Vous êtes mon champion ! » semblait-elle lui souffler. Frank en fut renforcé dans sa décision : il l'arracherait aux griffes de ces imbéciles. Il y consacrerait tout son talent, tout son cœur... et la victoire serait éclatante, maintenant que Rebecca s'en remettait entièrement à lui.

Elle tendit le bras. Quand elle posa la main sur la sienne, Frank fut parcouru par un frisson qui l'ébranla des pieds à la tête.

Pour la suspension d'audience de l'après-midi, Frank et Rebecca s'enfermèrent dans un des étroits bureaux réservés aux avocats et à leurs clients et qui jouxtait la salle d'audience. Ils jouissaient d'un peu de répit après l'atmosphère acharnée du procès.

— Où en sommes-nous ? demanda Rebecca.

— Rien qu'au commencement, mais ça se présente bien. Les chefs d'accusation ne tiendront pas la route. Andrew Marsh a succombé à une crise cardiaque, sans plus. Ce n'est pas votre faute, voilà tout.

Elle s'empara de sa main et la serra entre les siennes, lui demandant :

— Toujours fâché contre moi ?

— Pour quelle raison ?

— Parce que je ne me suis pas déguisée en vieille fille.

Son sourire donnait un tour taquin à la conversation. Frank ne put que hausser les épaules.

— Ça nous aurait été un atout, pourtant. Je me demande si vous vous rendez compte du saisissement que vous provoquez à la ronde.

— Peut-être que non. J'ai trouvé que vous résumiez l'affaire de façon extraordinaire.

— Merci.

— Vous croyez réellement en moi, pas vrai, Frank ?

Il l'observa un instant avant de déclarer :

— Laissez-moi mettre les choses au point, Rebecca. Même si le meurtrier à la tronçonneuse, c'était vous, même si la ville était jonchée des cadavres de vos victimes et qu'on ait trouvé vos empreintes digitales sur la tronçonneuse, même si on vous avait prise en photo pendant l'opération... vous auriez droit à une prestation de services de la meilleure qualité de la part de votre avocat. Il ne s'agit pas de culpabilité ou d'innocence ; il s'agit que vous ayez un procès équitable. Et j'ai la ferme intention de vous donner le procès auquel vous avez droit.

Le sourire s'effaça. Ce fut soudain comme s'il l'avait blessée.

— En réalité, vous êtes persuadé que je l'ai tué...

Frank agita la main dans le vide.

— Je n'ai pas dit ça du tout. D'ailleurs mon opinion n'a aucune importance.

— Pour vous peut-être, mais pas pour moi.

— C'est un peu tard.

— Pourquoi refusez-vous de me le dire ? insista Rebecca.

— Et vous, pourquoi vous obstiner à ne pas porter la tenue que je vous ai demandé de porter ?

Cette bouche pulpeuse qui avait retrouvé le sourire, il la vit trembler légèrement.

— Bon, bon... Si vous tenez vraiment à le savoir... commença-t-il.

Elle se raidit.

— Eh bien oui, je vous crois innocente.

Son corps se détendit totalement. Une lumière intérieure l'habita. Elle avançait la jambe...

On entendit alors tambouriner à la porte. L'huissier annonça :

— Reprise de l'audience dans deux minutes.

Au tour du Dr Steven Trammel de comparaître à la barre des témoins où l'appela Garrett. Il s'agissait du cardiologue d'Andrew Marsh. Mince, le teint terreux, cet homme âgé d'une cinquantaine d'années n'avait ni la présence du médecin légiste, ni son habitude des tribunaux. Malade de trac, il ne cessait de croiser et de décroiser les jambes.

— Docteur Trammel, commença Garrett, quand avez-vous diagnostiqué la maladie cardiaque de M. Marsh ?

Le cardiologue reprit sa respiration avant d'annoncer :

— D'après mes dossiers, cela fait un an et demi.

— Rebecca Carlson accompagnait-elle M. Marsh quand votre patient venait vous consulter ?

Le médecin jeta un coup d'œil furtif à Rebecca et :

— Oui, elle est venue une fois.

— Que lit-on sur la plaque apposée à votre porte ?

Le médecin battit des paupières, interloqué.

— J'y ai fait graver « Docteur Trammel - Cardiologue ».

Jovial, Garrett se tourna vers Frank :

— Le témoin est à la défense pour le contre-interrogatoire.

Frank se leva.

— Docteur Trammel, avez-vous eu l'occasion de parler de la santé de M. Marsh avec miss Carlson ?

— Non, jamais.

— En avez-vous parlé en sa présence ?

— Non plus.

— Se trouvait-elle dans la pièce lors de la consultation ?

Un temps, puis :

— Non, elle ne s'y trouvait pas.

— Dans ce cas, rien ne prouve qu'elle connaissait la gravité de l'état de santé de M. Marsh ?

— Pas vraiment.

— Ce « pas vraiment » signifie-t-il non ?

— J'ignore ce qu'elle savait, répliqua le cardiologue.

— Merci, docteur.

Frank allait se rasseoir lorsqu'il se redressa, comme piqué par une idée soudaine. Mais il s'agissait là d'un savant ballet orchestré à l'avance afin d'exploiter les réponses fournies lors de l'interrogatoire préalable que Garrett et lui avaient fait subir au médecin.

— Hem... Une dernière question... Savez-vous pour quelle raison M. Marsh s'est décidé à venir vous consulter en compagnie de Rebecca ?

— Parce qu'il voulait que j'achète des photos

à miss Carlson, répondit le docteur qu'une brusque gêne fit rougir.

Cette réponse rendait parfaitement innocente la présence de Rebecca chez le cardiologue. Pour mieux détourner l'attention des jurés, Garrett s'agita, s'affaissa légèrement sur son siège et croisa les doigts sur son estomac. Stratégie qui amusa Frank. Il revint à son témoin, toujours affable.

— En avez-vous acheté ?

Le cardiologue rougit de plus belle et avoua :

— Je les ai trouvées trop chères.

Des rires fusèrent dans la salle. Frank surprit le regard que lui lançait Rebecca, un regard empli d'admiration. Il reçut le soleil de son sourire comme une brûlure. C'est en bégayant presque qu'il revint à sa table et, les yeux fixés sur Rebecca :

— Je n'ai plus de question à poser au témoin.

Garrett appela un troisième médecin à la barre : Alan Paley, un garçon au visage sérieux, dans les trente ans, encore plus mal à l'aise que son confrère cardiologue.

Les yeux légèrement globuleux de Paley s'agitaient dans leurs orbites, sautant de Garrett à Frank, puis à Rebecca pour revenir ensuite à Garrett. Il remuait sur son siège, portait la main à son nœud de cravate, l'abandonnait pour mieux revenir le tripoter. Il écartait puis pinçait tour à tour les lèvres, narines frémissantes.

— Où travaillez-vous, docteur ? attaqua Garrett.

La main vola vers le nœud de cravate.

— Je suis médecin aux urgences du Memorial Hospital de Portland.

— Étiez-vous de service, la nuit du 5 février de cette année ?

— C'est moi qui étais chargé des admissions... Oui, j'étais de service.

Le médecin ravalait sa salive de plus en plus difficilement. Il finit par se racler la gorge. Pareil état de nervosité suscitait la compassion de tous... Ce pauvre médecin aux urgences, qui consacrait sa vie à sauver celle des autres, traîné au tribunal de la ville pour se faire arracher un témoignage dans ce procès qui défrayait la chronique de Portland ! Il n'était manifestement pas à sa place.

La voix de Garrett s'éleva d'un ton. Il en venait à un point de la plus haute importance.

— Est-ce vous qui y avez admis Andrew Marsh, cette nuit-là ?

Paley déglutit avec peine.

— Oui, c'est moi.

— Pour quelle raison l'avez-vous hospitalisé ?

— Pour intoxication à la cocaïne, avoua le docteur dont le regard s'abattit sur Rebecca, pour repartir droit vers Garrett.

Frank Dulaney faillit bondir de son siège. Quoi ? Marsh, hospitalisé dès cette époque pour prise de drogue... ? Mais Garrett poursuivait :

— Est-ce M. Marsh lui-même qui vous a précisé qu'il devait son malaise à l'ingestion de cocaïne ?

— Heu... Oui, c'est lui. J'ai consulté mes fiches avant de venir. Pour ne pas vous dire de bêtises. D'après mes notes, M. Marsh m'a dit que c'était la première fois qu'il essayait la cocaïne... et que ce serait bien la dernière.

Frank vit rouge. Jamais Paley, au cours de l'interrogatoire préalable, n'avait dit que Marsh s'était fait hospitaliser pour intoxication à la cocaïne. Il avait prétendu que c'était à la suite d'une crise cardiaque...

Aucune mention de la drogue ne figurait d'ailleurs dans le dossier conservé par l'hôpital. Qu'est-ce que c'était que ces « notes » dont parlait le médecin des urgences ?

Il y avait bien une explication à cette omission dans les dossiers de l'hôpital... En effet, souvent, pour protéger les patients de la justice, on « oubliait » d'y écrire le mot de cocaïne, dont la prise constitue une infraction en Oregon. Citoyen fortuné et influent, Andrew Marsh avait le bras assez long pour que ne subsiste aucune trace de son délit.

Mais de là à faire une fausse déclaration à l'avocat de la défense lors de l'interrogatoire préalable... Pourquoi le médecin hospitalier s'était-il obstiné à cacher à Frank qu'il s'agissait de drogue, maintenant que Marsh était mort et qu'il n'avait plus le pouvoir de lui nuire ?

Frank en vint à se demander s'il avait mal conduit l'interrogatoire du Dr Paley. N'aurait-il pas, un peu trop vite hélas, considéré ce médecin comme un témoin sans importance, lui permettant ainsi d'esquiver le problème auquel il venait de se voir contraint de répondre en plein tribunal ? S'il avait caché cela, que cachait-il d'autre ?

Pareil relâchement, cela ne ressemblait pas à Frank. L'avocat maîtrisait l'art de bien poser les questions et de soutirer le maximum de renseignements aux témoins. Et pourtant, force lui était d'admettre que, cette fois, il avait raté le coche. Pas Garrett, par contre...

Écumant d'une rage intérieure, Frank se reprochait vivement ce gâchis. Ça avait commencé avec Joanne Braslow. Garrett n'avait cessé de repousser l'interrogatoire préliminaire de la secrétaire aux calendes grecques ; il avait fallu attendre la dernière minute pour cuisiner la demoiselle... qui, en accusant Rebecca d'être cocaïnomane, avait failli anéantir la défense de Frank... Et maintenant, le substitut récidivait en extirpant au Dr Paley un autre fait imprévu.

Garrett, très en verve, s'exprimait avec un maximum de clarté, avec chaleur, afin que le jury se pénètre bien de ses moindres propos :

— Voulez-vous nous décrire l'état de M. Marsh lors de son hospitalisation ?

— M. Marsh présentait un grand nombre de

symptômes : hyperthermie, autrement dit une très forte fièvre consécutive à la prise de cocaïne... tension artérielle extrêmement élevée... arythmie du pouls... essoufflements... et pendant l'auscultation, il a même fait des convulsions.

— Voit-on souvent pareille convergence de symptômes dans les cas d'intoxication à la cocaïne ?

Paley en eut encore la gorge nouée. Il se lança quand même :

— Le malade était particulièrement fragile. Il a même eu de la chance de s'en tirer.

Garrett pencha le buste, affable :

— Le lui avez-vous précisé, docteur ?

— Je ne me souviens pas des termes que j'ai utilisés. Ce que je sais, c'est qu'il a parfaitement compris que son organisme présentait une intolérance absolue à la drogue.

Ce fut d'un air triomphal que Garrett passa le témoin à son confrère de la défense.

Frank se trouva pris de court. Il avait cru jusqu'alors que Marsh n'avait absorbé de la cocaïne que peu de temps avant sa mort — hypothèse de départ fausse. Un coup d'œil en direction de Rebecca lui confirma que l'accusée ne lui serait d'aucun secours. La seule solution : laisser filer, comme si ce témoignage n'avait aucune importance. Cela lui donnerait le temps de préparer sa stratégie. D'ailleurs il avait déjà une idée...

Il fit semblant de s'absorber dans ses documents. Ensuite il releva la tête et déclara au juge :

— Non, Votre Honneur, je n'ai pas de question à poser au témoin.

Garrett lui-même parut surpris, ce qui réconforta un peu Frank.

Puis ce fut au tour de Joanne Braslow de comparaître à la barre. Toujours aussi classique dans sa mise, effacée, sans maquillage, elle avait le cheveu bien peigné mais pas vraiment coiffé. L'institutrice collet monté, en somme.

Comme à son habitude, Garrett commença dans la décontraction, afin que le témoin s'accoutume à ce cadre dérangeant. Lorsqu'il la sentit un peu moins intimidée, il commença le bombardement :

— Avez-vous vu M. Marsh, la veille de sa mort, miss Braslow ?

La secrétaire fit passer son poids d'une fesse sur l'autre avant de dire oui.

— Quelle mine lui avez-vous trouvé ?

— Il était pâle. Il transpirait.

— Avez-vous mentionné miss Carlson ?

A ce nom, le visage de Joanne se referma comme un poing.

— Oui.

— Que vous en a-t-il dit ?

— Qu'il était inquiet. Et moi aussi je me faisais du souci. Il m'a dit que si elle continuait, elle allait le tuer... Que son cœur ne supporterait pas.

Un bourdonnement monta du public. Rebecca lui parut atterrée : tête basse, elle s'absorbait dans la contemplation de la table. Elle était d'une pâleur... Frank se pencha pour lui chuchoter au creux de l'oreille :

— Ne vous laissez pas abattre. Je vous avais prévenue que sa déposition nous porterait un rude coup. Prenez-la avec discernement et modération. Et si ça vous perturbe, ne le leur montrez pas, d'accord ?

Rebecca hocha la tête, lui agrippa la main, comme pour y puiser la force de faire front. Malgré ses efforts, elle avait le regard d'une biche effarouchée surprise par le canon du fusil du chasseur.

Au tour de Frank de passer au contre-interrogatoire de miss Braslow.

— Mademoiselle, attaqua-t-il, mimant l'incrédulité. Je suis frappé de l'intimité des échanges que vous aviez avec votre patron. Vous parliez souvent de sa vie amoureuse tous les deux ?

La demoiselle pinça les lèvres.

— Nous avions des relations de travail, mais comme j'étais chez lui depuis six ans... Il aimait se confier à moi.

— Dans ce cas, il a dû vous annoncer que Rebecca pensait repartir pour Chicago.

— Oui... Il m'en a touché deux mots.

— Ainsi, la femme dont il était follement épris envisageait de le quitter. Ne serait-ce pas cette séparation, plutôt, qui aurait provoqué l'anxiété et l'état de stress que vous lui avez remarqués ?

Garrett bondit. Bras en l'air, il hurla :

— On ne demande pas à la défense de pousser le témoin à se livrer à des analyses psychologiques sauvages, Votre Honneur.

Mais Frank s'était préparé. Il s'avança vers le juge.

— C'est l'accusation qui, la première, vient d'arracher à ce témoin des renseignements sur l'état d'esprit du défunt. Je me borne à l'imiter dans sa tactique pour résoudre ce problème délicat, Votre Honneur.

— En effet. Puisque vous avez tiré le premier, maître Garrett, à vous d'essuyer maintenant le tir de l'adversaire, répliqua le juge. Objection non retenue. Répondez à la question, mademoiselle.

Au tour de Joanne de jouer les biches traquées. Ce fut d'une voix étouffée qu'elle lâcha :

— Il n'a jamais dit qu'il en était « follement épris ».

— Vous ne répondez pas à ma question, protesta Frank d'une voix féroce. Je vous demandaïs si la peur de la perdre avait pu être la cause de l'inquiétude, des tensions que vous avez remarquées chez votre patron. En somme, cela l'aurait-il tué de la voir partir parce qu'il ne pouvait se passer d'elle ? Est-il possible que son cœur n'ait pas supporté la séparation ?

Garrett bondit, mais la conviction n'y était pas. Il objectait pour frapper l'imagination des jurés plus qu'autre chose, ce qui n'échappa point au juge. Elle le fit se rasseoir d'un geste de la main et lâcha un « Objection rejetée » au greffier.

Frank fixait son témoin. Il insista :

— Réfléchissez bien, miss Braslow. Est-ce possible ?

Garrett ne renonçait toujours pas. Il se dressa de nouveau. Ce qui irrita le juge Burnham. Elle cria :

— Objection rejetée !

Frank était sur des charbons ardents. Joanne finit par consentir un :

— Je suppose que oui, c'était peut-être à cause de cette séparation.

Frank pivota sur ses talons et regagna sa table. Avant tout pour donner aux membres du jury le temps d'assimiler les paroles de Joanne Braslow. Il fit un clin d'œil discret à Rebecca avant de se lancer de nouveau sur le témoin, tout ragaillardi. D'une voix forte, bien assurée :

— Passons à vos déclarations selon lesquelles vous auriez vu Rebecca prendre de la cocaïne dans la salle de bains. Qu'est-ce qui vous permet d'affirmer qu'il s'agissait bien de cocaïne ?

Visiblement, cette question la bouleversa. Cette femme n'appréciait pas que l'on mette en doute ses affirmations.

— C'était une poudre blanche, cela vous suffit ?

Un peu faible comme réponse. Frank prit son temps, toisa les jurés, puis la question qu'il mourait d'envie de poser depuis le début fusa :

— Vous avez bien été hospitalisée dans un centre de désintoxication, non ?

Les yeux de Joanne lui jaillirent des orbites. La question la laissa bouche bée. Garrett bondit, rouge de colère. Il gesticulait et braillait :

— Objection ! Objection ! Le dossier médical de miss Braslow n'a aucun rapport avec...

Mais Frank lui coupa la parole :

— Votre Honneur, c'est l'accusation qui a elle-même décidé que la drogue constituait la cause principale de la mort de M. Marsh. La question ne paraît donc nullement déplacée.

— Je vous autorise à poursuivre, trancha le juge.

Atterré, Garrett retomba sur son siège, presque aussi vert que le témoin. Après avoir consulté ses documents avec beaucoup d'ostentation, Frank revint à la charge :

— N'avez-vous pas été hospitalisée dans un centre pour drogués du 5 janvier au 5 février, il y a deux ans de cela ?

Joanne était blême, son buste se soulevait comme si elle ne parvenait pas à retrouver sa respiration. Ses yeux parcoururent la salle en tous sens, y cherchant quelqu'un qui l'autorise à s'abstenir de répondre. Mais non. Pas moyen d'y échapper...

— Oui, fit-elle dans un souffle, anéantie.

Au tour de Frank d'arborer une mine triomphante.

— Pour quelle raison vous y êtes-vous fait traiter ?

Elle semblait incapable de prononcer un mot.

— Abus d'alcool et de drogue, murmura-t-elle enfin.

— Cette drogue, était-ce de la cocaïne ?

— Oui.

C'est alors que Frank décida d'exploiter les « aveux » du Dr Alan Paley.

— C'est bien vous qui avez accompagné M. Marsh aux urgences, le 5 février ? Est-ce vous qui avez donné à votre patron la cocaïne qui l'a envoyé droit à l'hôpital une première fois ?

— Non ! s'écria-t-elle.

Frank sortit un feuillet de son attaché-case. Il se planta devant le banc des jurés et leur apprit :

— J'ai entre les mains le double du rapport d'admission rédigé la nuit de l'hospitalisation de M. Marsh, ce même 5 février.

La secrétaire raidit la nuque, pour mieux affronter les révélations qui allaient l'accabler.

Frank se dirigea vers elle à pas lents afin de lui tendre le document.

— Dans la case réservée à la signature de la personne qui conduit le patient à l'hôpital figure un nom. Voulez-vous, je vous prie, le lire à haute voix.

On sentait Joanne au bord de la nausée.

— Lisez, je vous prie !

Elle balaya le document du regard et se détourna. On entendit à peine un murmure :

— Joanne Braslow, mais...

— Je n'ai plus de question, annonça Frank, l'interrompant. Je demande à ce que ce formulaire soit retenu comme pièce à conviction.

Frank montra ensuite le formulaire à Garrett pour que l'avocat constate par lui-même que le terme « cocaïne » n'y avait pas été inscrit — que Paley aurait donc fait un faux témoignage, lors de l'interrogatoire préliminaire. Rouge de colère, le substitut semblait prêt au meurtre. Il était pris à son propre piège.

Frank lui ôta le feuillet. Non, le mot « cocaïne » n'avait pas échappé à sa vigilance, contrairement à ses craintes. On ne le trouvait nulle part dans le dossier d'admission d'Andrew Marsh.

C'était un réconfort, pas une excuse. Frank en était là de ses réflexions quand le juge ajourna le procès au lendemain.

L'écho amplifié des conversations résonna dans la salle d'audience tandis que le public se dirigeait vers la sortie. Le bourdonnement des voix atteignit une amplitude presque insupportable puis s'atténua.

Garrett quitta le tribunal sans un signe à Frank. Seule Rebecca l'observait, l'enveloppant de ce regard empli de chaleur et d'admiration.

— Vous avez été extraordinaire !

Et elle se jeta à son cou, se pressant contre lui.

— Merci, bafouilla l'avocat qui eut un mal fou à s'écarter de cette étreinte qui lui avait embrasé les sens. Pour un premier jour de procès, on a de quoi être satisfait.

Il la tenait par le coude, contact qui le troublait encore. Il n'eut pourtant pas le courage de la lâcher. Il remarqua alors Gabe qui la couvait lui aussi de ce même regard fou d'admiration.

— Il faut que je revoie certains points avec vous, Gabe, dit-il à son stagiaire.

— Pas de problème, maître.

L'avocat prévint Rebecca :

— Je risque d'en avoir pour un bon moment... Pourquoi ne me donneriez-vous pas vos impressions de voyage ce soir, autour d'une bonne table ? ajouta-t-il, mû par une soudaine impulsion.

La jeune femme s'humecta les lèvres du bout de la langue.

— Je trouve que c'est une excellente idée, souffla-t-elle.

Frank en frissonna de la tête aux pieds.

— Je passe vous chercher. Huit heures, ça ira ?

Ses yeux étincelèrent de bonheur.

— Huit heures me semble parfait.

— Très bien, s'écria Frank.

Lorsqu'il tendit la main vers son attaché-case, il se rendit compte qu'elle tremblait.

8

Frank nageait dans le bonheur ; il avait envie de faire la fête. Aussi invita-t-il Rebecca dans un des restaurants les plus cotés de Portland, situé dans le quartier historique de Skidmore. On y servait des mets raffinés, ce que reflétait l'addition. Au diable l'avarice ! Ce n'est pas tous les jours qu'on fête la victoire.

Durant le trajet qui les mena de sa péniche au restaurant, en un soliloque posé, l'avocat ne cessa d'exposer à sa cliente la complexité de certains des témoignages et autres cuisines de salle d'audience.

Il avait pourtant l'esprit ailleurs.

Rebecca portait une robe noire très sobre dont le décolleté plongeant dévoilait la naissance de ses seins. Sur son bras, elle avait négligemment jeté un manteau de drap léger. Sa chevelure flottait librement en une masse de boucles et de vagues soyeuses. Éclairé par les phares des voitures, son visage resplendissait.

Frank s'arrêta devant le restaurant, confia le soin de garer sa voiture au groom et prit le bras de la jeune femme. Il faisait frais et humide dans l'air brumeux que trouait la faible lueur des lampadaires.

Ils descendirent l'escalier en courbe par lequel on accédait à l'établissement. L'hôtesse ne put réprimer sa surprise en les reconnaissant. Elle en resta sans voix.

Rebecca, soudain réticente, tira son avocat par le bras.

— Vous avez choisi un endroit un peu trop fréquenté, Frank.

— Justement. Vous êtes innocente ; vous n'avez rien à cacher.

Ceux des clients que l'on avait placés le plus près de l'entrée les remarquèrent à leur tour. Leurs regards se braquèrent sur Rebecca : aux hommes bouche bée, les femmes donnaient la réplique en arborant une mimique dégoûtée.

— J'ai réservé au nom de Dulaney, annonça Frank sans se démonter.

Beaucoup trop intimidée pour réagir, l'hôtesse se contenta de les mener à leur table. Au passage, ils eurent droit à des coups d'œil, des chuchotements. Un client alla même jusqu'à dévisager Frank ; il détourna vite le regard.

Tous deux s'assirent. Sans se soucier des indiscrets, Rebecca concentra son attention sur Frank. Et ils eurent vite fait d'oublier que c'était pour affaires qu'ils dînaient ensemble. Frank ne souhaitait plus que jouir de la compagnie de la jeune femme. Tout bonnement. Il posa la serviette en damas sur ses genoux puis, saisissant la carte :

— Où vont vos préférences ?

— Pourquoi ne choisissez-vous pas à ma place ? répondit Rebecca d'une voix chantante.

— Vous êtes sûre ?

— J'aime tout. Vous devriez le savoir, maintenant.

La carte faillit lui échapper.

Finalement il se décida pour du pigeonneau au riz sauvage cuisiné aux petits légumes mitonnés dans une sauce aux herbes et aux épices. Et, folie, il décida d'arroser le tout d'un château-lafite 71. Dépense insensée, mais Frank se sentait survolté. Et ce ne fut pas le vin qui le calma.

Rebecca non plus. Quand arriva le moment du café, elle s'adossa à son siège, totalement décontractée.

— J'adore vous regarder évoluer, au tribunal. Vous êtes devenu avocat par vocation ?

— Non. J'ai opté pour cette carrière faute de mieux. Je voulais devenir joueur de hockey professionnel.

— Expliquez-moi ça.

— Eh bien, j'ai récolté une fracture de la jambe en patinant. J'avais décidé d'amuser la galerie...

160

Elle fit claquer sa langue.

— Vous aviez quel âge ?

— Sept ans.

— Vous viviez à Portland ?

— Oui, et j'aime cette ville.

— Vous avez toujours vécu ici ?

— Exact.

— Dans ce cas, comment pouvez-vous comparer ?

De nouveau, il se mit à rire.

— Vous jouez les avocats, avec vos interrogations ? Eh bien, en fait, je suis allé dans pas mal de villes mais aucune n'égale la mienne.

» L'atmosphère y est particulière, sans doute parce que Portland est assez importante pour qu'on puisse s'y amuser, et assez provinciale pour ne pas être rongée par le cancer des grandes métropoles. J'aime la rivière. Les montagnes, aussi, et la proximité de l'océan. Quand il fait beau, on ne met pas plus d'une heure et demie pour se rendre à la plage. Son seul inconvénient, ce serait le temps, à la rigueur. Mais, bah... Et puis les gens d'ici, j'adore. Des gens sérieux, qui vous donnent la chaleur de leur amitié. Des gens convenables. On éprouve un sentiment de bien-être, chez nous.

— Convenables...

Il rougit.

— Je ne disais pas ça pour vous, rectifia-t-il.

Rebecca retrouva son sourire. D'une langue paresseuse, elle s'humecta les lèvres.

— Je sais...

Il rougit de plus belle, ce qui tira un éclat de rire à sa compagne.

— Moi, quand j'avais sept ans, j'aimais voler des fraises. Au bout de la rue, il y avait un jardin protégé par une très haute grille. J'avais du mal à l'escalader; je m'y éraflais les genoux. Sans compter que de l'autre côté, on tombait droit sur un buisson d'églantier. Les épines me déchiraient les mollets et les cuisses quand je me laissais glisser dans le jardin. Mais ces fraises, quel délice...

— D'autant plus que vous aviez souffert pour les atteindre.

Elle eut une moue provocante et, d'une voix rauque :

— J'ai l'impression que vous commencez à me connaître.

— C'est bien possible.

— Et que voyez-vous ?

Il but une gorgée de café, attendit d'avoir reposé sa tasse.

— Je vois une femme que l'on a, à tort, accusée de meurtre.

Sa langue repassait sur ses lèvres.

— Vous avez parfaitement compris...

— Je vois une femme qui aime jouer avec le feu. Une battante, une créature dotée d'une force terrifiante, une femme prête à tout pour obtenir ce qu'elle convoite.

L'arc de ses sourcils se creusa.

— Est-ce vraiment mal ?

— Oh... non, pas du tout, dans la mesure où l'on reste raisonnable. Les hommes agissent ainsi depuis la nuit des temps. Quand une femme s'y risque à son tour, on aurait mauvaise grâce à le lui reprocher.

Elle baissa légèrement la tête.

— Qu'insinuez-vous par « raisonnable » ?

— Les limites que tout un chacun se doit de respecter.

— Vous voulez parler des limites de la loi, Frank ?

— Oui.

Ses lèvres s'incurvèrent, elle rejeta la tête en arrière et prit une profonde inspiration. Ensuite, elle ploya le buste et quand elle serra les bras contre ses flancs, cela fit saillir ses seins. Frank ne put s'empêcher de regarder, fasciné.

— Vous n'en êtes pas encore entièrement convaincu, dites...

— Convaincu de quoi ?

— Au sujet d'Andrew. Il demeure un doute dans votre esprit...

Il réussit à s'arracher à la contemplation de ces globes somptueux prêts à jaillir de la robe.

— Non, aucun doute. Je sais que vous n'avez rien fait.

Sa main vint se poser sur celle de Frank qui s'éclaircit la voix avant de demander :

— Comment avez-vous deviné que Marsh...
disons... partageait vos goûts ?

Frank sentit son regard partir dans le vague,
comme saisi par un soudain éblouissement. Son
cœur se mit à cogner. Rebecca lui serra plus
fort la main.

— C'était lors d'une soirée... Il y avait beaucoup de monde... Pourtant nous nous sommes
vus... reconnus. Nous avons su.

— Comme ça, tout simplement ?

— Il y a certains signes, murmura-t-elle, le
dévorant des yeux.

Sa main se retira lentement. Frank en sentait
encore la brûlure sur la sienne. Il était sous
l'emprise d'une étrange fascination. Jamais il
n'avait donné dans le sado-masochisme, ni
avant ni après le mariage. Pour lui, ces pratiques n'avaient aucun sens. Mais là, si proche de
cette femme dont c'était la sexualité, qui jouissait du bonheur de dominer, il se sentit dévoré
de curiosité, lourd de désir. Parce que c'était
Rebecca. Elle éveillait en lui un émoi dont il
n'aurait jamais soupçonné la violence. Ces sensations inconnues lui coupaient le souffle.

— Soit, dit-il à Rebecca. Cherchez-en un,
dans la salle.

— Vous désirez que je vous dise si dans ce
restaurant il y a quelqu'un qui partage mes
goûts ?

— Exactement.

— Voyons...

Elle promena lentement son regard sur les convives. Ceux qui la fixaient baissèrent le nez, vaincus, soudain soumis. Elle prit son temps, jaugeant tour à tour chacun des clients. L'examen achevé, elle revint à Frank.

— Eh bien ? s'impatienta-t-il. Qui ?

— Si vous croyez que je vais vous le révéler, dit-elle, jouant les coquettes.

— Pourquoi pas ?

Subjugué par ces yeux magnétiques qui l'empoignaient, qui le fouaillaient jusqu'au fond de l'âme, il reçut cette réponse :

— Parce qu'il ne le sait pas encore lui-même.

Frank ne put s'empêcher de tressaillir.

En proie à l'espoir le plus fou, Frank reconduisit Rebecca chez elle. Quand il s'engagea sur le ponton qui menait à son bateau, il crut sentir la nuit l'envelopper comme un organisme vivant.

L'air était alourdi par une brume qui renvoyait à la lune sa clarté rousse. Les lattes grinçaient sous leurs pas, accompagnées par le doux clapotis de la rivière qui léchait les piles de bois.

D'une autre péniche montaient par saccades les éclats de rire déclenchés par quelque jeu télévisé.

Rebecca lui donnait le bras. Sereine, elle contemplait les étoiles qui clignotaient au firmament. Elle leva vers Frank des prunelles que le clair de lune faisait luire.

— Oui... ce serait bon...

— Quoi donc ? demanda Frank avec la même douceur.

— Si nous faisions l'amour, vous et moi.

— Vous croyez que c'est à ça que je pensais ?

Ils étaient devant sa porte. Elle s'immobilisa, pour mieux le sonder, et le parfum de son corps emplit les narines de Frank. Elle s'offrait à lui. Il la désirait avec fougue. Qu'est-ce donc qui le retenait ? Impossible d'articuler un mot... Elle exerça une douce pression sur son bras.

— Il n'y a rien de mal à admettre que vous avez envie de moi, Frank.

Elle attisait son désir, lèvres écartées, menton relevé, paupières mi-closes, l'image même du désir. Il ne put empêcher sa tête d'avancer vers la tentatrice. Plus près. A quelques millimètres de sa bouche... Il sentirait bientôt la pulpe de ses lèvres humides s'écraser contre les siennes, il goûterait la suavité de ce fruit.

— Vous voilà bien présomptueuse, dit-il, la voix à peine audible.

Au même instant, la main de cette femme se plaquait sur son torse.

— Frank...

Il s'écartait déjà. Rebecca haussa les épaules pour s'excuser, une subite indifférence dans le regard.

— Rentrez chez vous, dit-elle. Et merci pour le dîner.

Elle se déroba très vite. Et Frank se retrouva devant la porte refermée. Impossible de s'arracher à ce quai. Il y parvint malgré tout. Tournant enfin les talons, il repartit, les poings enfouis dans les poches de son pantalon, seul avec son érection, taraudé par un sentiment d'humiliation. Il se sentait floué encore une fois, anéanti dans sa confiance en soi.

Elle jouait au chat et à la souris ! Elle lui montrait clairement qu'elle en avait envie et, à la moindre réaction, pour prouver qu'elle le tenait à sa merci, elle le repoussait ! Cela déclenchait une frustration déchirante... Mais le pire, c'était de constater que son sexe gorgé de désir ne demandait qu'à goûter à son corps.

Frank récapitulait la soirée, affolé à l'idée que Sharon aurait pu tout découvrir. Pourquoi jouer ainsi avec le danger ?

D'un pas plus assuré, il longea le ponton, sauta sur le pavé et regagna sa voiture. Soudain, son attention fut attirée vers la péniche. Les rideaux de la chambre, sur le pont supérieur s'agitaient dans la brise légère. A l'intérieur, une faible lueur mangée d'ombre vacillait, irréelle.

Il se glissa derrière le volant, claqua la portière, bien décidé à chasser cette diablesse de ses pensées. Mais comment résister ? Il regarda encore. Regarda la lueur qui vacillait dans la chambre... la lumière qui éclairait la chambre de Rebecca.

Et il comprit. C'étaient des bougies qui palpitaient, des sémaphores qui lui faisaient signe... non pas de passer son chemin... mais d'approcher. De jouer son rôle dans ce petit jeu que Rebecca voulait lui faire jouer.

Il enfonça sa clé de contact. Vite, filer d'ici et rentrer chez lui! Céder serait de la folie furieuse, une catastrophe. Elle le roulait dans la farine, prête à lui éclater de rire au nez dès qu'il succomberait à son pouvoir.

Une dernière fois, il se tourna vers la maison sur l'eau.

Et il la vit. Elle se tenait sur le pont supérieur, empoignant une bouteille de champagne par le goulot. Elle l'éleva lentement, prit le goulot fuselé à pleine bouche et s'en gorgea longuement. Puis elle retira la bouteille pour s'appuyer au bastingage, bras croisés, les cheveux agités par le vent, le corps en éveil, dans l'attente.

Frank crut que son cœur allait éclater à force de cogner. Il savait bien que c'était de la folie. Mais il la voulait absolument. Qu'est-ce que le ridicule quand on a envie d'une femme à en périr? Il n'y avait plus que cette obsession.

Fasciné, il absorbait de tous ses sens la créature qui attendait dans le clair-obscur du pont supérieur. Et soudain, il arracha sa clé de contact, s'éjecta de sa voiture, en longues enjambées se propulsa vers le ponton, vers la péniche... vers elle !

Il atteignait sa porte. Et si c'était fermé ? et s'il se faisait du cinéma ? et si...

Elle ouvrit avant même qu'il ait effleuré la poignée.

Sans un mot, tels deux rapaces, ils se pendirent l'un à l'autre, titubèrent dans l'escalier... Brûlants de passion, ils montaient à l'étage... rampant presque, ils se hissaient, poussant des cris rauques.

Frank sentait son cœur lâcher. Il avala une goulée d'air, gémit pour enfin goûter à ces lèvres charnues. Elle aspirait sa langue, la lui suçait frénétiquement. Au même instant, elle trouvait son sexe, serrait le membre dur comme du bois.

Ils faillirent tomber en pénétrant dans sa chambre dans une frénésie de halètements et de plaintes, les joues brûlantes, les yeux luisant de passion. Une demi-douzaine de bougies léchèrent de leur langue de feu la peau soyeuse de Rebecca.

Vite, elle dégrafa son soutien-gorge, et il empoigna ses seins. Il se pencha, la forçant à basculer en arrière pour mieux gober un mamelon. Sa bouche se referma sur un bourgeon durci qu'il téta goulûment, puis il répéta la manœuvre avec l'autre sein. Il était brûlant, le sang lui battait aux tempes.

Ils basculèrent sur le lit. Rebecca fit glisser

son slip le long de ses cuisses et le projeta d'un coup de talon sur le parquet. A la vue de son sexe, il perdit la tête. Il se jeta à l'assaut de cette fente, y enfonça la langue, la retirant pour mieux l'y glisser de nouveau, tirant du bout des dents sur la toison bouclée.

Elle se refusa haletante, bouche entrouverte, le regard chaviré. Ses mains s'affairèrent, ouvrirent sa braguette pour en laisser jaillir son pénis brandi. Ses doigts se coulèrent sous les testicules qu'elle se mit à pétrir tandis qu'elle prenait sa verge dans sa bouche. Quand elle serra les dents, il poussa un hurlement de douleur.

Aussitôt elle relâcha sa prise. Elle se rejeta sur le dos et, ouvrant largement les cuisses, elle lui tendit son bassin, l'invitant lascivement à la prendre.

Le désir égarait Frank. Il se rua de tout son sexe au fond d'elle. Il sentit qu'elle nouait ses jambes autour de sa taille, lui fouaillait les reins du talon pour qu'il s'enfonce encore plus.

Comme s'il avait eu besoin de se faire talonner...

Brutalement, d'un sursaut élastique, elle lui échappa, roula sur le lit et vint se poster derrière lui, pour coller son corps nu contre son dos. Ses doigts experts ne mirent pas longtemps à trouver ce qu'ils cherchaient. Elle effleura, taquina, empoigna...

Elle s'attaqua bientôt à la boucle de sa ceinture. Pour mieux l'aider, Frank cambrait les reins. Pour mieux se laisser caresser, aussi. En un tournemain, la ceinture jaillit des passants, si brutalement que la lanière de cuir claqua comme un fouet. Déjà sa voluptueuse tortionnaire lui glissait la ceinture au creux des coudes, lui liait les bras et l'attachait aux montants du lit en cuivre. Avant d'avoir eu le temps de s'en apercevoir, Frank se retrouva ligoté, à moitié couché sur le dos.

Alors là, il eut très peur. Il donna un coup de reins pour se libérer. La ceinture se resserra. Entre ses cuisses ouvertes, elle empoigna son membre, serra...

Cette femme avait fait de lui son prisonnier.

La prunelle luisante dans la pénombre, Rebecca se pencha sur l'homme ligoté pour lui donner un baiser cruel, lui mordre la lèvre. Sans oublier de lui effleurer les tétons du bout de ses seins provocants.

— Tu as peur ? le nargua-t-elle.

— Non, mentit Frank.

Jamais il ne s'abaisserait à l'admettre. Et puis dans son regard, il lut qu'elle le savait. Sous les fanfaronnades, derrière la façade, elle détectait la terreur qui animait son prisonnier : le plaisir qui lui faisait vibrer le sexe, il ne savait s'il allait pouvoir l'assouvir avant d'en passer par ses caprices à elle.

Sans se presser, elle lui enleva ses chaussettes, elle le dépouilla de son pantalon, elle déboutonna le caleçon en passant un doigt mutin sur ce canon qu'elle laissait durcir à dessein. Empilant délicatement les vêtements de son homme sur le tapis, elle revint enfin vers lui. Frank en gémit de bonheur... Elle venait d'avancer des lèvres gourmandes vers un de ses testicules qu'elle aspira dans la bouche.

En experte, elle serrait juste un peu les lèvres, pour qu'il ait un peu mal mais pas trop, car elle ne voulait surtout pas réduire l'ardeur de son combattant. Un testicule, et puis l'autre.

Elle était dans son élément, elle avait maté son étalon; chacune des ondulations de son corps éblouissant proclamait que le maître, c'était elle. Et qu'elle adorait jouer les dominatrices. La pupille dilatée, la peau humide de transpiration, elle haletait.

Enfin elle se décida à l'enfourcher et, comme au trot enlevé monta et descendit, s'arrêtant chaque fois à l'instant fatidique. Il sentait sa fourrure lui effleurer le gland, frissonner contre son pénis, tandis que sa vulve se reposait de temps à autre sur son ventre aux muscles bandés. La peur disparut, surmontée par un désir de la prendre comme jamais.

— Ce n'est pas toi le maître, susurra-t-elle, la voix rauque, plus basse qu'à l'accoutumée. Tu n'as plus à t'inquiéter... Tu n'as rien à faire, parce que tu ne peux plus rien faire.

Elle tendit le bras vers une des chandelles,

prit aussi la bouteille de champagne. Frank fut secoué d'une vague de terreur.

— On panique ? dit-elle en riant.

Il se contenta de la fixer, les yeux fous, l'imagination en plein délire. La chandelle s'arrêta au-dessus de son torse.

— Aie confiance... fit-elle d'une voix railleuse.

Elle renversa la bougie. De la cire bouillante lui dégoulina sur le sein, juste sous le téton droit. Aussitôt, compatissante, Rebecca y versa du champagne pour rafraîchir, lui léchant le bout des seins en passant.

Elle répéta la manœuvre. Plus bas. Et elle attendit un peu avant de le rafraîchir au champagne. La cire bouillante lui tarauda la chair, bientôt apaisée par une giclée de liquide glacé dont une partie lui ruissela le long des flancs. Elle lança ses lèvres à l'assaut de l'écume et lorsqu'elle eut tout avalé, elle le mordit, mais pas jusqu'au sang.

La suite, il l'entrevit en un éclair. Il ne put pourtant pas se débattre. Et dans le fond, il était tellement excité, tellement avide de voir jusqu'où elle oserait aller qu'il n'avait pas vraiment envie de la freiner.

Dès l'instant où son regard s'était posé sur cette femme, la curiosité l'avait dévoré. Eh bien, voilà pour les curieux ! Dans l'antre de cette démone qui le tenait sous l'emprise de son pouvoir animal, auquel son sexe érigé rendait un fier hommage, inhibé par sa méfiance de petit-bourgeois qui commençait à craqueler, il souffrait moralement. Douleur ou plaisir, honte ou délectation, il ne savait plus... Il savait simplement qu'il voulait se rassasier d'elle à en périr.

Et sur son ventre coulait la lave de cire, arrosée de champagne. Elle lui lapait le bout des seins. Puis le ventre, puis le nombril de son homme-jouet.

Elle empoigna son membre et en rapprocha la chandelle.

— Non ! Pas ça !

— Si, dit-elle d'une voix gutturale, sans pitié, les traits raidis de fureur.

Il essaya de bondir de l'autre côté du lit, piètre tentative de fuite. Inutile... Il n'en réchapperait pas. Les muscles tendus à l'extrême, son corps se préparait à l'agonie. Ses paupières s'affaissèrent. Jamais il ne supporterait...

Il rouvrit les yeux, incapable de ne pas regarder. Et il surprit son sourire tandis qu'elle soufflait la chandelle, tandis qu'elle arrondissait les lèvres, formant un petit rond juste assez rond pour qu'y glisse le bout de son membre...

La tension s'évanouit, emportant la peur dans ses voiles. Il avait les nerfs à vif, ce qui décuplait ses sensations. Jamais, non, jamais il n'aurait même rêvé de jouir avec un tel raffinement.

Elle le suçait incroyablement bien. Telle une

machine parfaitement huilée. Elle maîtrisait la science du plaisir de l'homme.

Elle incarnait le danger suprême, aussi. Frank en avait eu la démonstration. Il s'en moquait éperdument.

Elle jouait avec son attente, se relevait pour se montrer à lui en évoluant, lascive, autour du lit, et puis revenait lui prodiguer ses onctueuses caresses. Jusqu'à le reprendre dans sa bouche pour l'agacer du bout de la langue.

— Tu aimes ? le titillait-elle, les yeux luisant de volupté.

— J'ai envie de te prendre, oui, grogna-t-il.

— Tu me veux ?

— Oui.

— Eh bien regarde, je suis là.

— Pas comme ça.

— Et comment, dans ce cas ?

— Je veux te pénétrer, entrer dans ton sexe.

— Dans mon sexe ?

— Oui.

Il reçut sa bouche comme un fruit sur ses lèvres.

— Patience... murmura-t-elle. Bientôt. Mais Rebecca a envie de s'amuser un peu plus.

La sonnerie le réveilla en sursaut. Il ne savait plus où il se trouvait. Un gémissement monta de l'autre côté du lit. Sharon... Il passa le bras par-dessus son épaule pour bloquer la sonnerie tandis qu'elle se cachait la tête sous l'oreiller. Quand il se rallongea, il fut saisi de remords.

Sharon. Bon sang...

Qu'est-ce qu'il était allé fabriquer là-bas ?

Dans la lumière de ce matin paisible, il retrouva soudain ses facultés de raisonnement. Fixant le plafond, il s'accusa d'avoir gâché leur couple, d'avoir mis son cabinet en péril car la loi interdit à un avocat de coucher avec une cliente.

Leurs jeux érotiques de la nuit revinrent le hanter. Son sexe en durcit instantanément.

Incroyable. Une lubricité pareille, un désir d'une telle bestialité... Jamais il ne s'était livré aussi totalement. Rebecca était la première à lui arracher du corps une telle passion.

Il se leva, gagna la chambre de Michael pieds nus, ouvrit les volets de bois. Quand il écarta les couvertures, il y découvrit son fils. Encore une fois, le remords le fouailla. Son fils, il l'aimait à la folie, sa femme aussi... ainsi que leur vie. D'accord, ils vivaient un peu dans la routine, Sharon et lui, mais la routine, c'est parfois bien douillet ; les habitudes, ça vous constitue une couverture protectrice.

Il avait fallu qu'en une nuit il mette tout cela en péril...

Il ébouriffa avec amour les cheveux de son enfant, laissant tomber sur lui, un à un, les vêtements prévus pour la journée. Michael s'étira.

— Un quart d'heure, annonça son père.

Sans ouvrir les yeux, Michael émit un grognement pour indiquer qu'il était réveillé.

Incapable de se retenir, Frank se pencha et lui posa un baiser sur le front. Après quoi il regagna la chambre, ôta son pyjama avant d'aller prendre une douche. Le contact du jet sur son épiderme le mordit. Il rajouta de l'eau froide. Malgré l'eau maintenant tiède, il souffrait toujours.

Les souvenirs affluèrent... Rebecca le happait de son regard, sa bouche approchait, sa langue se coulait sur ses lèvres... Son corps perlé de sueur... son corps tout entier incroyablement stimulé par un aiguillon diabolique... Elle se livrait à ce qui lui redonnait sa sève, à l'acte d'amour... un duo dont Rebecca dirigeait les moindres mouvements à la perfection, totalement.

Son pouvoir atteignait des proportions insensées. Un pouvoir effarant, auquel Frank venait de succomber.

Avec délectation.

Il ferma le robinct. De la serviette, il essuya la buée sur le miroir.

C'est alors qu'il se vit. Voilà d'où venait la souffrance... Il cn resta bouche bée. Des pectoraux au nombril, il était couvert de taches rougeâtres, là où la cire avait brûlé, formant des cicatrices parfois de la taille de la main.

A ce spectacle, il eut honte ; il baissa la tête et s'appuya contre le lavabo.

Non, il n'avait pas voulu pousser l'expérience aussi loin. Pas vraiment. Il avait succombé à la curiosité, à la luxure, et cette expérience le laissait mortifié. Comment le nier ? Il en aurait pleuré de honte.

Au prix d'un effort surhumain, il parvint à se reprendre, se sécha, se rasa et se lava les dents. Au moment de quitter la salle de bains, il faillit buter sur Sharon. Vite ! la serviette... Il s'en couvrit le torse, comme s'il continuait à se sécher.

— Ouh là ! s'écria-t-elle, riant d'avoir évité la collision.

Aurait-elle remarqué les marbrures sanglantes ? Comment le deviner ? Il préféra filer dans la chambre où il se rhabilla en hâte.

Frank crut devenir fou quand il retrouva Rebecca au tribunal. Malgré le col officier, la robe en soie blanche de la jeune femme ne laissait pas grand-chose à deviner de ses formes épanouies. Dans ses yeux couvait une passion sourde lorsqu'elle sourit à Frank. Elle écarta les lèvres, révélant l'éclat de sa dentition et sa langue pointa. Incroyable ! Elle l'excitait devant tout le monde, en plein tribunal !

Ils avaient pris place côte à côte à la table de la défense. On attendait l'arrivée du juge. La jeune femme s'inclina vers lui : Frank reçut comme une décharge la violence de son parfum.

Elle lui posa une main amoureuse sur le bras et chuchota :

— Tu m'as donné tellement de plaisir, cette nuit...

Bouleversé, il crut ne jamais retrouver l'usage de la parole. Il n'osait pas la regarder, sentant la violence de l'emprise de cette femme sur lui. Ses tourments intérieurs reprirent de plus belle. Il se demanda même s'il aurait la force de se concentrer sur le plus important : son procès.

A mesure qu'elle retirait sa main, Frank eut la sensation qu'on lui cisaillait les nerfs.

Enfin le juge fit son entrée, au grand soulagement de Frank. Au tribunal, le maître c'était lui. Il espérait que le poids écrasant de ses responsabilités l'aiderait à retrouver ses esprits.

— Nous aimerions rappeler le Dr Alan Paley à la barre, annonça Garrett d'entrée de jeu.

Il arborait un air triomphant, comme s'il gardait une surprise en réserve. Frank, qui farfouillait dans ses documents dans l'espoir de se ressaisir, ne le remarqua pas.

Ils se touchaient presque ; le parfum de Rebecca ravivait le concert de sensations — douleur et plaisir intenses — qu'il avait connues durant leur nuit de passion. Ces images le hantaient si bien que pour la première fois, la peur bien connue qu'il aimait sentir au creux de l'estomac menaçait de se transformer en crise de panique incontrôlable. Ce qui serait une catastrophe. Il fallait la chasser à tout prix.

Le beau Garrett arborait quant à lui un autre de ses costumes Armani. Gris clair rayé, celui-là, il semblait plaire tout autant aux femmes de l'assistance. Chaussures noires impeccablement cirées et cravate jaune pâle — toujours brodée de la bannière étoilée — complétaient la tenue du séducteur chic.

Le juge Burnham rappela au témoin qu'il était toujours sous serment.

— Et je vous conseille de prendre cela très au sérieux, ajouta-t-elle d'un ton menaçant.

Alan Paley approuva de la tête. Toujours aussi mal à l'aise, il se plaça face à Garrett.

— Connaissez-vous Rebecca Carlson ? lui demanda le substitut.

Paley ne put se retenir de jeter un coup d'œil à la jeune femme, puis il détourna prestement la tête.

— Oui, je la connais.

— Est-ce que vous vous fréquentiez ?

Un bourdonnement agita soudain la salle. A tel point que la réponse du médecin se perdit dans le brouhaha. Un coup brutal de son marteau, regard furibond et le juge s'écriait :

— Taisez-vous ou sortez de ma salle d'audience ! Et je ne vous le répéterai pas.

Elle attendit que le silence se soit rétabli puis revint au témoin :

— La réponse m'a échappé, docteur.

— Oui, nous nous fréquentions.

Planté face au témoin, bras croisés, Garrett posait avec arrogance. L'esprit de Frank battait toujours la campagne.

— Lui avez-vous jamais parlé de l'état de santé de M. Marsh ?

— Marsh avait sa photo dans le journal. J'ai dit que je l'avais soigné.

— Quelle a été la réaction de miss Carlson ?

Paley se retenait si fort de regarder Rebecca que ça lui donnait des raideurs de la nuque.

— Elle a été fascinée.

Garrett haussa les sourcils.

— Que vous a-t-elle demandé au sujet de Marsh ?

— Elle désirait savoir si la cocaïne le tuerait s'il en reprenait.

— Que lui avez-vous répondu ?

— Que ce serait la roulette russe.

Garrett passa le témoin à Frank qu'il gratifia d'un sourire onctueux.

.Frank se leva. S'écarter de la table de la défense lui fut une bénédiction. Se plantant à quelques mètres de Paley, il le fixa droit dans les yeux.

— Docteur Paley... pourquoi ne pas avoir précisé plus tôt que vous aviez une relation avec Rebecca ?

— Personne ne me l'a demandé.

Des gloussements fusèrent. Une grimace du

juge les fit taire instantanément. Frank poursuivit d'une voix douce :

— Avez-vous eu avec elle des relations
sexuelles ?

Garrett intervint sur-le-champ, suppliant
presque :

— Question non pertinente.

Ce fut le regard de Frank qui se fit suppliant
quand il demanda au juge :

— Si Votre Honneur me laisse de la latitude
sur ce point, je me fais fort de prouver que la
question est au contraire très pertinente.

— Objection rejetée. Que le témoin réponde.

— Non, lâcha Paley.

Frank retourna le couteau dans la plaie.
Il retrouvait la pleine possession de ses
facultés.

— Quand vous dites non, cela signifie-t-il que
non, vous n'avez pas eu de relations sexuelles
avec elle ?

— En effet.

— Parce qu'elle se refusait à vous, c'est ça ?

Saisissant le sens de la manipulation, Garrett
sauta.

— Objection ! L'avocat de la défense est en
train de pousser le témoin à ...

Le juge leur fit signe de ses ongles rouges
comme des braises incandescentes.

— Approchez, l'un et l'autre.

Les deux avocats s'avancèrent vers le bureau
de bois bien astiqué et levèrent le nez vers le

juge. Bras croisés, penchant le buste, elle les fusillait du regard, telle une reine du haut de son trône.

— Maître Dulaney, à racler la boue vous allez finir par mordre la poussière !

— Je cherche à prouver un point bien spécifique, Votre Honneur.

— Dépêchez-vous de le prouver. Je sens que je vais bientôt me lasser de vous voir d'aussi près.

La semonce était rude. Pourtant Frank ne s'y trompa point : ce n'était que superficiel. On le savait au barreau, Mabel aimait le cabotinage. Quand la menace était sérieuse, une lueur flamboyait au fond de ses prunelles. Si jamais un avocat en était la cible, il avait intérêt à battre en retraite. Dans l'immédiat, le regard restait neutre. Bon signe...

— Oui, Votre Honneur, fit Frank d'un ton appliqué.

— Objection rejetée.

Frank et Garrett regagnèrent leur poste. Frank eut du mal à se retenir de rire. Il avait cuisiné Rebecca au sujet de ce Paley ; la jeune femme lui avait fourni certains éléments qui lui permettraient de le liquider. Il la regarda à la dérobée : elle aussi, elle lui souriait, avec une expression d'adoration pure.

— Vous souvenez-vous du dernier de vos rendez-vous avec Rebecca, au restaurant *Cat and Fiddle* ?

Paley blêmit et se trémoussa sur son siège.

— Ça n'avait rien de mémorable.

— Vous avez bien tenté de la prendre de force dans le parking, non ?

Garrett était debout, agitant le bras, l'œil incendiaire. Frank lui cloua le bec :

— Je peux même convoquer à la barre des témoins : le gardien du parking ainsi que deux clients pour vous rafraîchir la mémoire, le cas échéant !

Il crut voir une expression narquoise effleurer les lèvres du juge quand elle lança au substitut :

— Pourquoi vouliez-vous objecter, maître ? Je n'ai pas bien entendu vos raisons.

Tout rouge, Garrett se frotta le front puis secoua la tête et se rassit.

— Est-ce bien la dernière fois que vous l'avez vue ? insista Frank.

Visiblement mortifié, Paley parut bouder.

— Je vous répète que je ne me souviens pas de notre dernier rendez-vous.

Le témoin qui s'entête à chicaner avec un avocat rompu à la technique judiciaire commet une lourde erreur. Paley n'allait pas tarder à s'en rendre compte.

— Qui plus est, n'avez-vous pas essayé de faire chanter Rebecca en la menaçant de faire un faux témoignage au procès si elle s'obstinait à refuser de vous voir ?

Paley s'arrima à la barre pour se donner la force de hurler :

— Non ! vous perdez la tête !

Exactement la réponse qu'attendait Frank. Abandonnant le témoin, il regagna la table de la défense. Il y fut accueilli par le visage rayonnant de Rebecca et de Gabe. Ce dernier connaissait déjà la suite.

Frank sortit un magnétophone de son attaché-case.

— Votre Honneur, j'ai ici l'enregistrement d'un message laissé sur le répondeur de miss Carlson. J'aimerais vous le faire entendre.

— Objection, Votre Honneur ! glapit Garrett. Nous ignorons la provenance et les circonstances de cet enregistrement.

Frank s'approchait du bureau du juge, à qui il tendit un dossier.

— Voici les rapports d'expertise de deux laboratoires auxquels Me Garrett a lui-même eu recours pour vérifier l'authenticité de pièces à conviction produites au cours de précédents procès. Les deux laboratoires ont confirmé qu'il s'agissait bien de messages téléphoniques enregistrés sur répondeur ; qu'il n'y avait pas eu falsification.

Il tendit le dossier au juge Burnham qui feuilleta les documents. Un grommellement lui échappa :

— J'autorise l'enregistrement de cette pièce. Pris à votre propre piège, monsieur le substitut.

Transmission de pensées qui fit sourire Frank. Il avait offensé Garrett, le réduisant ainsi à l'impuissance. Car il ne sert à rien de protester contre la décision d'un juge.

Frank plaça son magnétophone sur la table et le mit en marche. Après le signal sonore, la voix de Paley s'éleva, amplifiée dans la salle où planait un silence absolu. Le docteur était manifestement aviné :

« Rebecca... Je sais que tu es chez toi. Mais décroche, bon Dieu ! Si tu crois que je n'en suis pas capable ! »

La sonnerie du téléphone retentit, signalant que le correspondant venait de raccrocher. Puis le signal sonore retentit de nouveau, suivi de la voix de Paley :

« C'est des femmes que tu seras condamnée à baiser à vie, Rebecca. Je peux te faire boucler, tu sais. Tu as intérêt à me rappeler, sinon, tu es baisée... Baisée de toute manière ».

Fin du message.

Frank attendit que l'assistance ait digéré l'information. Seul un toussotement dans le fond de la salle troubla le silence.

— Qu'entendiez-vous par là, docteur ?

Paley était sous le choc. Il se contenta de secouer la tête, muet. C'est en toisant les jurés que Frank lui porta l'estocade :

— Vous n'avez jamais parlé d'Andrew Marsh à miss Carlson, avouez-le, docteur Paley.

Paley retrouva sa langue :

— Si, je lui en ai parlé. C'est elle qui m'a posé des questions. Je lui ai répondu.

— Le parjure tombe sous le coup de la loi, docteur ! lança Frank en opérant un brusque quart de tour vers le témoin.

— Mais ce n'est pas un mensonge !

Par une grimace adéquate, Frank montra au jury à quel point le comportement de cet homme l'écœurait. Puis, après un temps d'attente, il déclara en avoir terminé avec le témoin.

Le procès fut ajourné au lendemain.

L'essaim des journalistes s'agglutina autour de Rebecca dès qu'ils prirent, Gabe, Frank et elle, le chemin des ascenseurs. Les deux juristes encadraient la jeune femme afin de lui servir de bouclier contre la cohue. Veste accrochée à l'épaule, Frank se sentait en pleine forme, plus sûr de lui que jamais.

— Vous avez été très brillant, le complimenta Rebecca, suspendue à son bras.

— Je n'ai pas réussi à lui casser les reins.

— Vous l'avez complètement grillé, oui ! protesta Gabe dont rien n'aurait douché l'enthousiasme.

Ils se faufilèrent dans l'une des cages d'ascenseur bondées. Dans la cohue, Gabe se retrouva séparé de Rebecca et de Frank qui se blottirent l'un contre l'autre dans un coin. Frank se dressa sur la pointe des pieds pour lancer par-dessus les têtes :

— Vous appuyez sur le P-2 pour moi, Gabe ?

— Entendu, patron. Moi j'ai garé ma voiture au Parking-1.

Le ventre collé contre le flanc de Frank, Rebecca lui posa la main sur les fesses, grand sourire innocent aux lèvres. L'avocat sentit soudain qu'elle lui glissait la main entre les jambes. Très gêné, il leva son bras armé de l'attaché-case pour lui écarter la main. A l'instant précis où il commençait à se détendre, il se rendit compte de ce qu'elle avait entrepris de sa main libre...

A l'abri de la mallette, elle lui ouvrait lentement la braguette.

Il baissa les yeux vers la jeune femme, secouant la tête et faisant une grimace, mais son attention se portait ailleurs, vers les portes de l'ascenseur, et elle arborait déjà une expression de mortel ennui, au cas où quelqu'un se retournerait.

Il sentit la panique s'emparer de lui. Protester, ce serait attirer l'attention sur ce qu'elle était en train de lui faire. Il se racla la gorge. Rebecca eut un petit sourire et, s'obstinant à ne pas le regarder, elle continua de faire glisser la fermeture Éclair.

L'ascenseur atteignait le P-1. Les portes coulissèrent. Gabe suivit le gros de la foule, criant en tournant simplement la tête :

— A demain !

Pas un son ne sortit du gosier de Frank. La

main de Rebecca était maintenant dans le pantalon où elle lui pelotait les parties. En plein ascenseur, avec tous les autres à quelques centimètres. Si jamais l'un d'eux s'avisait de se retourner et de baisser les yeux...

Horreur ! Voilà qu'il était en érection ! Impossible. Son sexe aurait dû se ratatiner, se cacher, oui. Mais non. Au lieu de ça, il se dressait, il gonflait, il ne lui appartenait plus. Esclave de cette fille, il se distendait sous ses doigts exigeants.

— Appuyez sur le P-4, demanda Rebecca, le visage de marbre.

Quelqu'un pressa le bouton. Rebecca poursuivait, glissant la main par la braguette du caleçon, lui empoignant le membre, le besognant à lui faire mal.

Frank transpirait ; tout rouge, affreusement gêné, il était tétanisé. A chaque étage, des gens quittaient l'ascenseur. Quand la cabine s'arrêta au P-3, Frank et Rebecca se retrouvèrent seuls. Elle sortit le pénis du pantalon, complètement à l'air, la main s'activant avec frénésie. Les portes se refermèrent avec un chuintement.

Frank se sentit vibrer de colère. C'était de la folie furieuse. Il fallait arrêter ça. Et pourtant... quelle ivresse ! Excitation, déchaînement, libération de toutes ses inhibitions, et surtout danger.. Oui, c'était le mélange de passion et de danger qui l'empêchait de lui cracher sa fureur au visage.

Elle leva une jambe pour l'envelopper, lui

enfourcher le membre raidi puis, les mains sur ses fesses, elle se mit à aller et venir pour mieux se frotter à son sexe.

Les portes de l'ascenseur s'écartèrent. On était au dernier sous-sol d'où montaient des odeurs de gaz carbonique, d'huile de vidange et de moisissure.

Rebecca l'enveloppait de tout son corps douillet, pressant le bout de ses seins contre son torse. Leur chaleur lui traversait la chemise.

— On risque de nous voir, bredouilla-t-il, observant les alentours.

Sans mot dire, elle se décolla et partit dans le parking.

Il crut la séance terminée, mais non : il la vit grimper sur le capot d'une voiture, ôter une de ses chaussures à talons et, se protégeant la figure de son bras replié, balancer la chaussure sur une ampoule qui pendait du plafond de béton. L'ampoule éclata, les éclats de verre se répandirent sur le capot.

Il faisait maintenant si sombre qu'il la distinguait à peine. Il avança vers elle. Assise sur la voiture, elle l'attendait. Elle s'allongea, appuyée sur un coude, sans se soucier du verre brisé qui parsemait la surface de métal. Elle écarta les jambes.

Elle se moquait de tout, obsédée par l'envie de lui. Elle le voulait maintenant. Ça se voyait. Il le lut dans son regard.

— Je veux te sentir dans mon sexe, dit-elle d'une voix rauque.

Il crut un instant qu'il était en train de faire un cauchemar, qu'il avait des hallucinations, une vision de l'enfer. On était en plein délire, oui ! Pourtant elle était bien là, sous ses yeux, haletante, l'enveloppant dans les nuées de son parfum... Envolé le souci des convenances... Quand elle lui colla la main sous les testicules pour l'attirer sur elle, il n'avait plus qu'une obsession. Le monde bascula dans l'oubli, le laissant décérébré, pareil à un automate programmé pour donner à Rebecca ce qu'elle voulait. Impuissant, il n'était plus que l'esclave de ses envies.

Il lui arracha le slip, le fit glisser autour des chevilles. Enfin, il remonta cette robe fourreau qui l'empêchait encore de glisser son sexe tendu dans ce corps avide.

Elle s'allongea sur le dos. On entendit le bruit atroce de verre qui s'écrase. Les éclats de l'ampoule qui lui rentraient dans la chair ! Il s'écarta. Elle le retint brutalement, le plaquant à elle.

— Continue. Ne t'inquiète pas, dit-elle, la voix gutturale.

Ce regard élargi, que la luxure rendait humide... Bouche ouverte, elle dardait, d'avant en arrière, la langue sur sa lèvre inférieure. Frank retrouva un bref instant ses esprits. Rien qu'une fraction de seconde. Puis il s'immergea dans cet emportement des sens, se livrant totalement à la folie du sexe, déchaîné, tandis que sa raison succombait sous une concupiscence bestiale.

Il entra en elle de toute sa puissance, s'engouffrant dans sa chaleur humide. Son cœur se mit à cogner furieusement, la passion lui faisait trembler les mains. Il sentit les paumes de la jeune femme sur ses joues, elles le brûlaient, tout comme la cire bouillante.

Sans prévenir, Rebecca roula soudain sur le côté. A lui de s'allonger sur le capot ! Elle l'y coucha de force. Les morceaux de verre lui entaillèrent cruellement le dos. Il se mordit la langue et son hurlement étouffé fusa comme un sifflement.

Pas question d'arrêter. Il continuait à la forer, lui pétrissant les seins à travers la robe, soulevant le torse pour s'aboucher à cette femme qui déchaînait en lui des forces indomptables.

A la vue du sang qui coulait à travers le coton luxueux de la chemise, les yeux de Rebecca prirent un éclat diabolique. Ça la fouetta comme un aiguillon et elle le rejoignit dans la danse. Elle s'empala lentement, ondulant du bassin, jusqu'au bout de son sexe, et puis elle pistonna comme une forcenée, si fort que l'écho des bruits de succion, des claquements de leurs corps qui s'assaillaient se répercuta dans le garage.

Tant pis. Tant pis pour tout. Rien que le sexe.

Frank était en train de baiser une femme — peut-être était-ce la femme qui le baisait, il ne savait plus — sur le capot semé d'éclats de verre de la voiture qu'un inconnu avait garée dans ce parking. Et cette femme, c'était sa cliente... Il avait le dos tailladé par les éclats du verre. Sa chemise en était trempée. Si on le surprenait dans cette position, ce serait la fin de sa carrière d'avocat. Et de son couple.

Il tomberait dans le ruisseau.

Or Frank s'en moquait éperdument. Il ne cherchait qu'à la prendre jusqu'à la gorge. Un gémissement interminable lui échappa au moment où il allait jouir. Le souffle brûlant de Rebecca sur sa joue, le front de la tentatrice qui se perlait de sueur... Son regard absent, humide, tandis qu'elle accélérait la cadence...

Il éjacula avec la violence d'un coup de canon. Un frisson terrible le secoua tandis qu'un orgasme l'ébranlait d'une frénésie telle qu'il crut que son cœur allait lâcher.

Un orgasme insensé, là, sur le capot de cette voiture garée dans les sous-sols du tribunal où il travaillait pour gagner sa vie.

Et lui, il s'en foutait éperdument.

9

Ce soir-là, Michael avait une séance de karaté. C'était Frank qui passait le prendre à la fin du cours. Une routine... Sharon le déposait à son club en partant pour le café ; Frank le reconduisait à la maison.

Encore bouleversé par l'accouplement passionnel, le déchaînement auquel il venait de se livrer moins d'une heure auparavant, Frank gara sa voiture et se dirigea vers l'entrée de l'école.

L'air humide et frais lui picota le visage. Il se sentait les jambes en coton. Ses mains tremblaient encore. Il n'avait plus de points de repère, il ne savait pas où il en était.

Sa vie allait à la dérive, subissant des distorsions qui la détraquaient. Tout ce qui lui avait toujours semblé limpide s'opacifiait en un mystère ; rien n'avait de sens. Sous ses pieds il sentait la terre ; là-haut, c'était le ciel, d'accord... mais comme il ne se fiait plus à ses sens, qui sait si ce n'était pas sur le ciel qu'il marchait, tandis que le sol se trouvait en haut ?

Il n'était plus un homme mais une de ces étranges créatures à la Dali, figurine désarticulée piégée dans un tableau surréaliste. On l'avait exposé dans la galerie de Rebecca, sous le feu des spots halogènes.

Rebecca et ses visiteurs approchaient le visage de la toile ; ils touchaient. Ils le touchaient, lui. Éclatant de rire, Rebecca leur expliquait que Frank, c'était sa mascotte.

L'avocat secoua la tête pour en chasser ces visions de cauchemar. Il n'y parvint qu'à moitié.

C'est alors qu'il aperçut son fils. Michael bavardait avec une bande de copains qui attendaient devant le club, vêtus eux aussi de ces pyjamas qui trouaient la nuit de taches blanches.

Michael aperçut son père. Il planta là ses copains et courut à sa rencontre en sautillant. Tout en se rapprochant, le petit effectuait des voltes et, mains et bras en position, il gesticulait dans le vide. Puis il se mit à tourner autour de son père en dansant avec force prises de karaté qu'il ponctuait de grognements gutturaux et de cris assourdissants. Il était remonté.

Enfin il prit son élan et, par jeu, revint donner un coup de tête dans le dos de Frank. Le père poussa un hurlement.

— J'ai pas fait fort ! protesta Michael.

Pourtant la douleur le déchirait, en d'intolérables déflagrations qui lui cisaillaient le dos. Frank essuya du revers de la main les larmes qui jaillissaient de ses yeux. L'enfant n'en revenait pas.

— Tu commences à devenir bien trop fort, s'excusa Frank.

Il passa le bras autour des épaules de son garçon et le conduisit à la voiture. Il ne voulait plus qu'on lui touche le dos sans prévenir.

Ils rentrèrent par les quais, passant devant la péniche de Rebecca. A l'approche du pont qui enjambait la Willamette, Frank distingua la maison flottante qui se rapprochait, le captivait comme un aimant. Une lumière douce brillait derrière les rideaux tirés.

S'il avait jusqu'alors prêté l'oreille au doux babil de son fils, brusquement, Frank n'entendit plus. Que faisait Rebecca en cet instant ? Cette question suffit à raviver la douleur. Les entailles, dans son dos, se mirent à le lancer. Son genou gauche fut surpris de tremblements.

Était-elle seule ? Ses pensées allaient-elles vers lui ? Dès le début, Frank avait trouvé cette femme dangereuse mais ce à quoi ils jouaient allait bien au-delà du danger.

— Alors j'ai levé le pied très haut... Joey a rien vu venir... Je m'étais pas gardé. Simplement j'ai fait vite. On a intérêt à faire très vite. Le maître s'est incliné devant moi, tu te rends compte ?

Michael poussa un hurlement de triomphe qui fit sursauter Frank.

— Tu sais ce que ça veut dire ?

Frank n'avait pas suivi.

— Non. Qu'est-ce que ça veut dire ?

— Il n'y a pas plus fort, comme félicitations.

Frank restait hypnotisé par la péniche. Ils finirent par la laisser derrière eux. L'avocat faillit en pousser un soupir de soulagement.

— Tu sais ce que j'ai fait ? continuait le petit. Eh bien moi aussi je me suis incliné devant lui !

— Qui ça ?

Un temps d'hésitation. Puis son fils l'accusa :

— Tu m'écoutais pas, hein ?

— Mais bien sûr que j'écoute. Tu as même porté un coup à Joey.

Michael soupira.

— Tu t'en fous, hein ? Eh ben le prof s'est vraiment incliné devant moi.

— Très bien !

Frank en déduisit qu'il avait dû en manquer une partie parce que Michael se tut et se mit à regarder par la vitre en boudant.

— C'est vraiment très bien, renchérit Frank pour se rattraper.

Rien ne vint. Tant pis pour Michael ! Il avait bien assez de problèmes comme ça.

Une fois chez eux, Frank se déshabilla, prit une douche et appliqua de la pommade cicatrisante sur ses plaies. Au moins ça ne saignait plus, même si les entailles n'étaient pas jolies à voir. Une bonne dizaine, de plus d'un centimètre de long pour certaines. Devant la glace, il se contorsionna en se palpant le dos pour vérifier qu'il ne restait plus de verre dans sa chair. Apparemment non.

Quand il eut passé des vêtements propres, il roula en boule sa chemise maculée de sang dans l'intention de la jeter dans la poubelle de la cuisine. Il l'y poussa tout au fond, bien cachée sous les emballages alimentaires venant du restaurant de Sharon. Ça ne lui convint pas. Il sortit l'un des emballages, y glissa la chemise et attacha le couvercle pour qu'il reste bien fermé. Ensuite il alla le jeter dans un seau à ordures.

De retour à la cuisine, il se versa une bière et s'assit seul à la table. Sa main était agitée de tremblements. Quoi d'étonnant ? Chaque fois, avant de se faire sauter par Rebecca, il se faisait torturer cruellement. D'abord à la cire bouillante, ensuite avec des éclats de verre. A quoi fallait-il se préparer si l'escalade continuait ?

Il ne put retenir un frisson. Cette fille lui était devenue une drogue. Il en voulait davantage, quitte à mettre sa vie en danger. Voilà bien ce qui lui faisait peur. Frank avait toujours mené sa barque comme il l'entendait. Enfant, il savait déjà ce qu'il voulait. Quand il avait atteint l'âge de comprendre que la carrière de joueur de hockey professionnel lui était fermée, il avait décidé de se lancer dans le droit.

Après être tombé amoureux de Sharon, il

avait trouvé le moyen de la garder sans toutefois renoncer à son rêve. Et il avait réussi. Parce qu'il savait où il voulait aller et n'en démordait pas.

A présent, rien n'avait plus aucun sens. Son univers avait basculé. Tout ça à cause de son incapacité à résister aux sortilèges sexuels d'une femme qui était peut-être folle. Il ne pouvait y avoir pire, comme liaison. Frank se serait giflé.

Pourtant, la seule pensée de cette fille le faisait bander.

Il poussa un gémissement. Dans la salle de séjour, Michael regardait la télé. Il n'avait pas pipé mot de tout le dîner ; tout juste s'il avait touché à son repas. Frank s'en voulait d'avoir blessé son fils par son indifférence.

Il décida d'essayer une fois encore de se rattraper et gagna le séjour où il s'assit sur le divan à côté de l'enfant.

— Michael ?

Son fils s'obstinait à fixer l'écran. Le père lui empoigna le bras, lui arrachant une grimace.

— Écoute, un jour, quand tu seras plus grand, il t'arrivera de te retrouver confronté à ces mêmes problèmes qui sont mon lot quotidien. Désolé si j'étais dans les nuages, tout à l'heure. Vraiment désolé.

— C'est pas grave.

— Mais si, c'est grave. Et je tiens à ce que tu comprennes pourquoi. Tu veux bien éteindre la

télé ? On va parler, toi et moi. Pas longtemps.
Tu veux ?

Michael faisait la moue. C'est Frank qui saisit
la télécommande pour éteindre.

— Tu veux bien me regarder ?

Michael leva les yeux vers lui, les lèvres bou-
deuses.

— Je suis avocat...

— Je sais.

— Bon. Tu sais également où on en est ?

— Je crois bien. Tu as ce procès. La femme
qui a tué le vieux.

Frank faillit se mordre la langue.

— As-tu jamais pensé qu'elle pouvait être
innocente ?

— Si c'est toi qui le dis, 'pa...

— Non. Pas parce que c'est moi qui le dis
mais parce qu'elle est réellement innocente.

— Ben alors, pourquoi ils l'ont arrêtée ?

— Parce que ça arrive parfois. Pas tout le
temps mais plus souvent qu'on ne croit. Dans
le cas de Rebecca Carlson, il y en a qui ne
l'aiment pas beaucoup. Ils présentent la situation sous un angle qui laisse à penser qu'elle est
coupable. Elle ne l'est pas.

— D'ac'.

— D'ac'. Et maintenant, mets-toi à ma place.
Je suis chargé de la défendre. Je suis par conséquent le seul à m'opposer à ce qu'on l'enferme
vingt ans en prison. Au moindre faux pas de ma
part, on risque de la déclarer coupable. D'un

autre côté, si je fais bien mon travail, il y a de fortes chances pour qu'on l'acquitte.

« Conclusion : sa vie est entre mes mains. Une drôle de responsabilité, tu sais. Et j'ai peur, parfois. Ça me fait perdre un peu la tête. Ce soir, par exemple...

— C'est pour ça que tu m'écoutais pas ?

— Oui. Je suis inquiet, Michael. Si je fais une fausse manœuvre, cette femme, on la condamne à vingt ans de prison. Ça fait long, une peine de prison comme ça, pour un acte qu'on n'a pas commis. Donc moi, je réfléchissais à ce procès, à ce qui s'est produit aujourd'hui, à ce qu'il me reste à faire demain.

« Et ce n'est pas parce que je suis préoccupé que je ne t'aime pas, que je ne tiens pas à toi. Je t'aime de tout mon cœur, Michael. Ta mère et toi, vous êtes ce que j'ai de plus précieux au monde et vous le serez toujours.

— Des fois, on le dirait pas.

Michael se déridait. Frank lui rendit son sourire.

— Tu comprends mieux ?

— 'Sûr, 'pa.

Il serra dans ses bras son fils qui l'étreignit avec fougue. Cette pression sur son dos raviva la douleur de façon intolérable. Aussi s'écarta-t-il pour demander :

— Et maintenant explique-moi encore une fois cette histoire de courbettes, d'accord ?

Après avoir couché Michael, Frank prit le journal télévisé de 23 heures. Le procès en constituait le sujet principal. On montra l'avocat à sa sortie du palais de justice en compagnie de Rebecca : quand la caméra s'arrêta en gros plan sur le visage de la jeune femme, Frank sentit son dos le lancer à nouveau.

Ses mains se remirent à trembler.

Il éteignit la télé, gagna la chambre à coucher et après avoir passé un tee-shirt, se glissa au lit dans un état d'épuisement et de confusion mentale extrêmes. Il fixa un bon moment les ténèbres. Dans sa tête tourbillonnaient d'étranges pensées. Et puis, enfin, le sommeil vint.

Il dormait toujours lorsque Sharon vint se coucher. Elle vibrait encore de l'atmosphère survoltée du café-galerie ; il lui fallait généralement une demi-heure pour redescendre sur terre.

Frank lui tournait le dos. Quand elle souleva les couvertures, la lumière de la lampe caressa les fesses musclées de son mari. Sharon y passa la main pour les caresser doucement. Négligemment, la main s'insinua sous le tee-shirt, le souleva, geste qui perturba le sommeil de Frank. Il roula sur le dos avec un grognement, puis se mit en chien de fusil face à elle.

Sharon soupira et, mêlant ses jambes aux siennes, ferma les paupières.

C'est sous un soleil presque aveuglant qu'il gagna le tribunal en voiture. Une journée splendide, au temps froid et sec. Frank, lui, captif d'un maelström, était toujours déboussolé. Le visage de Rebecca flottait devant lui, le hantait. Son regard, une invite... Sur ses lèvres charnues entrouvertes coulissait sa langue aguicheuse.

Il voulut s'engager dans le parking souterrain quand le passage de la luminosité intense à l'obscurité le força à s'arrêter pour attendre que ses pupilles s'accommodent. Alors seulement il gagna l'espace réservé aux juristes.

Il retrouva Rebecca à sa voiture. Comme à l'accoutumée, elle était resplendissante avec ses boucles blondes, ses œillades d'une provocante sensualité.

— Bonjour ! lança-t-elle d'une voix joyeuse.

— 'jour.

Elle s'empara de sa main. Il la lui retira.

— Qu'y a-t-il ?

— Rien. Simplement je tiens à me concentrer sur ce qui nous attend.

Elle prit donc la direction de l'ascenseur. Frank lui emboîta le pas. Ils n'échangèrent plus un mot. Arrivés à l'étage, comme d'habitude, les journalistes les prirent dans leurs filets. Comme toujours, Frank ne fit aucune déclaration. Quelqu'un lui donna une bourrade dans le dos. Il faillit rugir de douleur mais parvint à se retenir, poursuivant son chemin jusqu'à la salle d'audience.

Il y régnait une atmosphère chargée d'électricité. Le public attendait fébrilement la suite. Le témoignage du Dr Paley, la veille, avait fait sensation. Aux informations du matin, un peu gêné, Bob Garrett avait promis du spectaculaire.

Des promesses, s'était dit Frank en suivant les commentaires de son adversaire à l'écran. Et pourtant...

Il tenait plus que des promesses en réserve. Le feu d'artifice se déclencha après l'interruption de séance de l'après-midi. Un défilé de témoignages inintéressants en avait fait s'assoupir certains, dans la salle. Garrett ménageait manifestement ses effets. Et voilà qu'il se leva, boutonna sa veste avec soin et demanda à la cour de convoquer Jeffrey Roston à la barre.

Soudain sur le qui-vive, Frank interrogea Rebecca du regard. Ce nom ne lui disait rien. Il ne figurait même pas sur la liste des témoins produite par Garrett. Il n'avait pas subi d'interrogatoire préalable.

L'expression bouleversée de Rebecca lui révéla que le nom de Roston lui rappelait de fort désagréables souvenirs. Tendue comme une corde, d'une pâleur mortelle, bouche ouverte, elle respirait par saccades.

— Vous le connaissez ? lui chuchota Frank.

Rebecca ne répondit pas. Elle tournait la tête vers un homme que l'on venait de faire entrer par-derrière. Un bel homme, la cinquantaine, les tempes argentées et la démarche emplie de prestance. Frank se retourna à la hâte et demanda au juge :

— Je peux venir vous dire un mot ?

Le juge Burnham lui fit signe d'approcher. Garrett le rejoignit au pied de son estrade.

— Votre Honneur, jamais l'accusation n'a mentionné le nom de ce témoin qui ne figure pas sur la liste. Je demande qu'il ne témoigne à la barre qu'après avoir fait sa déposition.

Le juge sonda Garrett d'un œil las. Jusqu'à présent, le procès n'avait rien eu d'affriolant. Garrett s'expliqua :

— La police n'a pas pu joindre M. Roston à New York avant hier après-midi. C'est un des anciens amants de l'accusée.

— Pourquoi cela a-t-il demandé si longtemps ?

— Roston vient à peine de regagner New York après des vacances prolongées.

— Peu importe, protesta Frank. Nous avons le droit de faire déposer le témoin au préalable.

Mabel Burnham resta un instant songeuse.

— Bon. J'accepte que le témoin passe à la barre. Si vous avez besoin d'un délai pour vous préparer convenablement au contre-interrogatoire, maître Dulaney, je vous y autoriserai mais je veux que le procès avance.

— Votre Honneur... bafouilla Frank, livide.

Le juge l'arrêta d'un seul coup d'œil.

— Ça va bien, maître. Allez vous rasseoir.

L'expression de Rebecca perturba Frank. Visiblement, elle était toujours sous le choc. Bien qu'il lui eût à plusieurs reprises enjoint de ne jamais trahir ses réactions de crainte que les jurés ne se livrent à des interprétations défavorables. Mieux vaut un visage insondable.

Elle y avait jusqu'alors fort bien réussi. Et maintenant, elle semblait terrorisée. Il lui coula un regard féroce en se rasseyant. Peine perdue.

Il jura entre ses dents.

Garrett choisit une position qui permette au public aussi bien qu'aux jurés d'observer le témoin sans être gênés par sa prestation. Imbu de lui-même, il se délectait manifestement de ce qui allait suivre. Le timbre de sa voix trahissait ce regain d'assurance.

— Monsieur Roston..., quel genre de relations aviez-vous avec miss Carlson ?

— Elle était ma maîtresse, répondit posément l'homme.

— Combien de temps êtes-vous restés ensemble ?

— Environ un an.

— Comment pourriez-vous décrire vos relations sexuelles ?

Roston se tortilla légèrement avant d'avouer :

— Elles étaient très... d'une violente intensité.

Frank n'eut aucun mal à saisir. Il en sentait l'intensité dans sa chair. Bien trouvé, comme expression. Il s'agita sur son siège.

— Je sais que c'est assez intime, mais j'aimerais que vous soyez plus précis, poursuivit Garrett.

Roston raconta, l'air outragé :

— Elle s'acharnait à me mettre dans tous mes états, à m'exciter de plus en plus violemment.

— Comment ça ?

— Je ne pouvais vraiment pas la suivre là où elle voulait me pousser, avec ma santé.

— Parlez-nous de votre santé.

— J'avais des problèmes cardiaques, assena Roston.

Le public en resta assommé. Jusqu'à Frank qui, bien que rompu à des années de procédure, en resta les bras ballants. Garrett le toisa en souriant, ravi de lui avoir porté ce coup de Jarnac. Il attendit un peu avant de reprendre.

Frank sentit la main de Rebecca effleurer la sienne. De colère, il la repoussa, ce qu'il n'aurait jamais fait avec un client en temps ordinaire.

— Que s'est-il passé ensuite ?

— On m'a opéré : un double pontage.

— Comment vous sentez-vous, maintenant ?

— En bonne santé. Le chirurgien m'assure que je n'ai plus aucune crainte à avoir.

— Quelles ont été les conséquences de cette

intervention chirurgicale dans vos relations avec Rebecca ?

Il répondit avec amertume :

— Elles ont cessé brutalement. Du jour au lendemain, elle m'a quitté.

Frank tentait désespérément de regarder droit devant lui, de garder un masque d'impassibilité. Du coin de l'œil, il surprit le regard de Rebecca fixé sur lui. Déconcertée par cette attaque blessante, passé le choc, elle offrait le spectacle de la souffrance, de la femme trahie, et la raison en échappait à Frank. Il dressa l'oreille lorsque Garrett reprit l'interrogatoire.

— A quel moment vous a-t-elle annoncé qu'elle vous quittait ?

— Elle ne m'a rien annoncé. Elle s'est contentée de me plaquer.

— Pourquoi vous a-t-elle quitté, selon vous ?

— Je pense qu'elle s'est rendu compte que je n'étais pas décidé à mourir.

Fasciné par ce coup de théâtre, Frank ne réagit qu'après la réponse de Roston. Manœuvre digne d'un bleu.

— Objection, Votre Honneur ! La question appelait une réponse tendancieuse de la part du témoin.

Le juge Burnham dévisagea Frank. A constater son désarroi, à le voir ainsi chamboulé, elle eut pitié.

— Le témoin a déjà répondu à la question, maître. Tenez-vous à faire annuler ?

Frank se traitait mentalement de tous les noms. D'une petite voix, il précisa :

— Je demande l'annulation, oui.

Mais Garrett n'était pas disposé à céder l'avantage :

— De par la liaison assez longue qu'a eue le témoin avec miss Carlson, ses commentaires nous fournissent un moyen très valable de percer à jour la personnalité de l'accusée.

Enfin Frank se ressaisit. Il bondit, agita le bras et, retrouvant un peu de sa puissance vocale :

— L'avis d'un amant évincé n'est jamais objectif.

— Motion retenue, acquiesça le juge.

Garrett poursuivit dans le même sens :

— Miss Carlson vous a-t-elle donné les raisons de son départ ?

— Objection ! protesta Frank. Le témoin vient de déclarer qu'elle était partie sans donner d'explication.

Le juge confirma de la tête puis se tourna vers le substitut :

— Changez donc de thème, monsieur le substitut.

Garrett reprit sa respiration avant de demander :

— Vous disiez que vos relations sexuelles avec miss Carlson étaient « d'une violente intensité ». Qu'entendez-vous par là ?

Roston remua sur sa chaise.

— On aurait dit qu'elle souhaitait me pousser le plus loin possible.

— Pouvez-vous donner un exemple à la cour ?

— Pour elle, le sexe, c'était un jeu. Elle tenait le pouvoir. Elle jouait même avec. Elle me répétait sans cesse que nous devions le faire à sa façon.

Frank entendit Rebecca remuer, mal à l'aise, taper le sol de la pointe de son escarpin. Il tourna la tête vers elle : la jeune femme fixait Roston, l'air très en colère, lèvres pincées, poings serrés.

Frank passa aux jurés : deux d'entre eux étudiaient Rebecca d'un air qui révélait clairement le fond de leur pensée. L'avocat crut qu'il allait s'effondrer. Il aurait tant aimé se faufiler dans un trou de souris... Les déclarations de Roston était véridiques, il était bien placé pour le savoir. L'un et l'autre avaient fait la même expérience cuisante. Combien d'autres encore ? Toujours le même scénario... Rebecca voulait les écraser de son pouvoir. A revivre ces séances, Frank avait bien du mal à penser.

— Quelques jours avant mon pontage, je me suis réveillé... disait Roston. Elle m'avait attaché au lit avec ma ceinture.

Derrière Frank, des ricanements s'élevèrent dans la foule.

Le juge Burnham assena un coup de marteau sur le bureau. Frank eut la sensation qu'on lui enfonçait un gros clou dans le crâne à coups de massue. Une fois le calme revenu dans la salle, Garrett demanda :

— Qu'a-t-elle dit après vous avoir ligoté ?

Le malaise de Roston ne cessait de s'accentuer. Frank en fut ému. Quel homme aimerait exposer à une foule d'inconnus toutes les techniques déployées pour le ridiculiser ?

— Monsieur Roston, je sais combien ces aveux doivent vous paraître difficiles. Pourtant ils sont d'une importance capitale. Je vous serais reconnaissant de bien vouloir en faire part à la cour.

Roston prit son élan :

— Elle m'a dit qu'elle allait me baiser comme jamais auparavant.

Tous les diables de l'enfer se déchaînèrent dans la salle. Grands éclats de rire, hurlements d'allégresse, claques que l'on s'assenait sur les cuisses... Le juge Burnham ne partagea pourtant point l'hilarité générale. Son marteau s'écrasa sur la table à plusieurs reprises. Et puis :

— Huissier, faites évacuer la salle. A l'exception des journalistes.

Un hurlement de protestation accueillit cette mesure. Ce qui n'empêcha pas l'huissier de continuer à évacuer le public qu'il aiguillonnait comme on pousse un troupeau vers les enclos. Cela prit un bon moment. Le juge s'obstina à ne pas demander la suspension. C'était sa salle d'audience à elle ; elle ne lâcherait pas la bride.

L'interrogatoire de M. Roston reprit ensuite et les questions de Garrett résonnèrent dans la salle désertée et haute de plafond.

— Qu'a-t-elle fait après vous avoir ligoté, monsieur ?

— Elle a commencé... à se masturber... et à me dire qu'elle avait très envie que je la pénètre, avoua-t-il d'une voix déchirante. Ça m'a rendu fou.

Incapable de se retenir, Garrett étudia longuement Rebecca. Tout le monde l'imita. Mais Rebecca regardait droit devant elle, arborant un masque d'indifférence dont même la colère avait disparu. Elle avait l'air horriblement coupable. Ragaillardi, Garrett revint à Roston :

— Votre médecin ne vous avait-il pas ordonné d'éviter tout effort physique ?

— On n'y pense plus, en pareil moment, soupira l'homme. On ne pense d'ailleurs plus à rien.

Frank tiqua. Il aurait tant voulu être ailleurs... N'importe où. Ce témoignage lui était insupportable. Il en avait la nausée, des faiblesses. Il manquait d'air.

— Avez-vous eu un problème cardiaque, cette fois-là ?

— Oui. Nous avons commencé... à faire l'amour... elle était sur moi... et chaque fois que j'allais y arriver...

— A l'orgasme ?

— Oui. Elle s'interrompait. Je n'ai pas pu le

supporter. J'avais le cœur qui cognait si violemment que j'ai cru que mes tempes allaient éclater. Impossible de respirer... Je suffoquais... Je l'ai suppliée... J'ai vraiment cru mourir.

Garrett fit un pas vers lui.

— Qu'a-t-elle répondu à vos supplications ?

Roston eut un regard chargé de haine.

— Elle m'a éclaté de rire au nez.

— Avez-vous modifié votre testament au cours de cette liaison avec miss Carlson ?

— Oui.

— Qui en était le légataire principal ?

— Elle. Je ne suis qu'un imbécile, ajouta-t-il en partant d'un rire amer.

Imbécile... Cette épithète frappa Frank en pleine face.

— Merci, monsieur Roston. Je n'ai plus de question.

Frank voulut se lever, tout en sachant que ses jambes ne le soutiendraient pas... Il n'aurait pas non plus supporté de poser des questions à ce témoin-là. C'eût été se faire subir le contre-interrogatoire à lui-même. Impossible. Pas maintenant, en tout cas. Pas avant d'avoir récupéré.

— Pas de question pour le moment, dit-il doucement. J'aimerais procéder au contre-interrogatoire de ce témoin quand j'aurai eu le loisir d'analyser son témoignage.

Rebecca baissa la tête, comme pour se protéger des regards braqués sur elle. Le juge Burnham leva le nez vers la pendule et :

— Parfait, maître Dulaney. Vous pourrez interroger le témoin demain. Il est quatre heures passées. Le procès se poursuivra demain matin.

Elle se leva et regagna lentement ses bureaux, sa toge noire glissant dans son sillage tel un gigantesque cerf-volant. Les journalistes se ruèrent dehors, prêts à sauter sur les téléphones ou bien à foncer vers leurs camions bourrés de matériel électronique.

Garrett mit de l'ordre dans ses papiers, il glissa des dossiers dans sa serviette puis sourit à Frank.

— Tu es coulé.

Les jambes flageolantes, Frank s'en fut sans lui adresser la parole. C'est Garrett qui tint le portillon de bois ouvert pour Rebecca. Elle l'effleura de la hanche au passage. Puis levant les yeux vers lui :

— Vous vous êtes bien amusé, avec ce témoignage, pas vrai, maître ?

— Le score remonte.

Ça la fit rire. Un rire charmant, qui plaisait bien à Garrett. Elle avait du cran, aussi. Elle se dirigeait vers la sortie, aussi droite qu'un sergent-major, tête haute. Et l'ondulation du bassin le séduisit.

Une fois dans le hall, elle se dépêcha de rattraper Frank.

— Je peux tout vous expliquer, protesta-t-elle.

Il traînait des journalistes. Frank n'en eut cure. Il l'attrapa par le poignet et la poussa vers une salle d'audience vide puis la fit pivoter face à lui.

— Tu t'y prends un peu tard, cria-t-il. C'était avant son témoignage que j'aurais eu besoin d'être au courant. Bon sang, mais pourquoi ne m'en as-tu pas au moins averti ?

— Moi non plus je ne m'attendais pas à le trouver ici, s'offusqua-t-elle. Et d'abord, fallait-il que je t'énumère tous ceux avec qui j'ai fait l'amour ?

La rage le suffoquait. Tout juste s'il parvint à retenir la gifle qu'il lui aurait volontiers envoyée à travers la figure.

— Uniquement les cardiaques qui t'ont couchée sur leur testament, oui !

— Tu crois toujours que j'ai tué Andrew, hein ? s'exclama la jeune femme, les pupilles élargies.

— Comme tout un chacun dans la salle, oui ! De quoi j'avais l'air, moi, à cause de toi, hein ?

Ce qui la fit sortir de ses gonds :

— Ce n'est pas à toi qu'on fait un procès !

— Ah ça non ! Mais quelle idée j'ai eue de succomber à tes manigances !

— De me faire l'amour ?

— Oui ! Et je n'ai aucune envie de recommencer la même erreur. Tu es et tu resteras ma cliente. Point. Je ne veux rien d'autre entre nous.

Incroyable... Cette façon de changer d'humeur comme de chemise. Tantôt elle feulait comme une tigresse, et immédiatement après, elle se montrait profondément blessée. On se serait laissé émouvoir par l'expression de son visage. D'un réalisme...

— C'est ton dernier mot ? Comme si j'étais de bois... Comme si je n'avais aucune importance...

— Hé ! c'est que je suis pas ton type ! Je suis trop jeune, en trop bonne santé.

Les larmes perlèrent au coin des yeux de la jeune femme.

— C'est trop injuste.

— Oui, et c'est également l'exacte vérité.

Elle le toisa, vivante image de l'orgueil blessé et soudain, le visage dur, elle cracha :

— Toi aussi, Frank, tu peux aller te faire foutre !

Elle tourna les talons et quitta la salle du tribunal, telle une furie.

Plus une seule place dans le café-galerie de Sharon ! C'est ce que Frank déduisit de la clique des habitués qui s'agglutinaient aux abords de l'entrée, dans l'attente que se libère une table ou bien un tabouret au bar.

Il leur passa sous le nez. Une fois à l'intérieur, les effluves combinés de café et de cuisine fine faillirent lui retourner l'estomac. Sous le regard insistant des convives qui le reconnaissaient, il fonça tête baissée. La cacophonie des caquetages ininterrompus lui brisait les tympans.

Il aperçut Garrett à une table. En grande conversation avec une autre de ses adorables conquêtes. Ces femmes superbes et visiblement intelligentes, en avait-il tout un harem ? La beauté, le charme même de Garrett n'expliquaient vraiment pas ce succès de don Juan. Il devait avoir un truc.

Puisait-il son pouvoir dans le même chaudron à maléfices que Rebecca ? Dans cet univers de sortilèges et d'inexplicable ?

La belle créature était pendue aux lèvres du substitut comme elle l'eût fait avec un maître vénérable, un gourou indien. Les regards d'envie dont la gratifiaient les femmes lui en échappaient. Mais ils n'échappèrent point à Frank.

Ce dernier passa devant leur table en tâchant de se faire tout petit. Peine perdue ! Il sentit le regard de Garrett lui brûler la nuque tandis que le substitut le coinçait par la veste, le maintenant d'une poigne solide.

La victoire avait donné des couleurs à ce visage hautain dont la bouche s'incurva en un rictus dédaigneux. Tout content, il forçait la dose pour mieux épater la galerie, fort conscient de l'attention dont il faisait l'objet.

— Enfin je t'ai eu ! dit-il avec jubilation. Un moment inoubliable.

— Profites-en bien, Garrett. Ça ne durera pas, rétorqua Frank en lui arrachant le pan de sa veste.

Une seconde de plus et il écrasait son poing sur la face de l'insolent.

Frank réussit enfin à atteindre le comptoir derrière lequel Sharon préparait des capuccini deux par deux. S'y accoudant, sourire plaqué :

— Salut ! Michael est près de toi ?

Sharon continua de vaquer à sa machine à café. Elle était pâle et avait l'air fatigué. Payait-elle le prix de ses horaires interminables ?

— Je l'ai conduit chez Kevin où il passera la nuit, lâcha-t-elle enfin à voix basse.

Tiens, tiens...

— Pourquoi ne pas m'avoir prévenu ? protesta Frank, irrité par son indifférence. J'aurais pu rester un peu plus tard au bureau. J'y ai du travail par-dessus la tête.

Enfin elle se décidait à lever vers lui son visage. Elle semblait profondément blessée. On aurait juré qu'elle allait éclater en sanglots.

— Qu'est-ce que tu as ? s'alarma son mari.

Sharon parut rassembler ses forces. Se penchant par-dessus le comptoir, avec autant de discrétion que possible, exploit pratiquement irréalisable dans le brouhaha, sa voix s'éleva :

— Comme ça tu aurais pu profiter du rab pour coucher avec ta cliente, hein ?

Une serveuse qui ne se trouvait pas loin

entendit. Elle en ouvrit des yeux comme des soucoupes.

— Ne fais donc pas ta petite parano !

— Alors là...

Sharon se détourna avec une brusquerie telle qu'elle percuta un serveur. La vaisselle sale qu'il charriait sur son plateau se fracassa sur le plancher. Les conversations s'interrompirent ; tous les regards se braquèrent sur le couple. C'est alors que retentirent des applaudissements. Garrett, probablement...

Les yeux gonflés de larmes, Sharon s'excusa auprès de son commis en lui tapotant gentiment le dos. Et quand elle reprit le chemin de la cuisine, le brouhaha des conversations s'éleva de nouveau. Frank n'était pas disposé à la lâcher si vite. Il la suivit, sans se laisser décontenancer par le personnel ébahi. Sharon se ruait dehors. Ils se retrouvèrent dans la venelle qui longeait l'arrière de l'établissement.

Sur cette allée réservée aux livraisons donnait l'arrière-boutique de plusieurs commerces. Lieu de transit pour les camionnettes des livreurs, elle était sombre, sale et encombrée de détritus, poubelles et sacs à ordures bourrés. Sur les portes on lisait « réception des marchandises » à la lueur malingre d'ampoules suspendues au chambranle. Un filet d'eau fétide creusait la ruelle de son méandre.

— Sharon !

— Va-t'en ! lui cria-t-elle sans se retourner.

— Explique-toi, enfin ! s'écria Frank qui se demandait quelle mouche avait piqué son épouse.

Elle poursuivit sa course. Il finit par la rattraper et l'agrippa par le bras. Sharon lui porta un coup violent qui le laissa bouche bée. Jamais auparavant elle ne l'avait frappé.

— Mais dis-moi ce qu'il y a, bon Dieu ! implora-t-il.

— On a vu ta voiture garée sur les quais, devant sa péniche. Et ça m'est revenu.

C'était donc ça ! Frank en eut des palpitations.

— Mais il s'agit d'une cliente, j'ai quand même le droit de m'entretenir avec une femme dont je défends la tête !

— Bien sûr que tu en as le droit, cracha-t-elle, pointant sur lui un index accusateur. Pourquoi ne la reçois-tu pas plutôt à ton cabinet ?

Frank leva les bras au ciel.

— Quoi ? Ne me dis pas que tu y as cru, à ces ragots !

— Mieux encore : j'ai parlé à cette fille.

— Comment ? Et quand ça, je te prie ?

— Elle est passée ici, tout à l'heure. Elle te cherchait.

Cette révélation, il la prit comme un uppercut en plein estomac. Non... Impossible...

— Que t'a-t-elle dit ?

— A sa façon de prononcer ton nom, j'ai tout compris.

— Tu me fais marcher, pas vrai, Sharon ?

Si ses yeux avaient été des poignards...

— Qu'est-ce qu'elle t'a fait, Frank ? D'où te viennent ces plaies que tu as sur le torse ?

Le sang se retira de son visage. Il en eut des picotements au bout des doigts. Quant à Sharon, oubliée cette douleur qui lui ravageait les traits ! Ce n'était qu'une boule de fureur. Plantée devant lui, serrant les poings, les yeux humides de larmes qui refusaient de couler, elle se raidissait de tout le corps.

— Ce sont des suçons ? Qu'est-ce que c'est ? Et pour ton dos aussi, je suis au courant.

Le cœur lui manqua. Frank n'arrivait pas à respirer. Il eut envie de desserrer son nœud de cravate ; impossible de remuer les bras ! D'étranges images montèrent à l'assaut de son esprit, brouillant ses pensées, l'égarant dans leurs brumes.

— Bon Dieu ! souffla-t-il.

Sharon avait tout vu ! Ses craintes les plus terribles s'étaient matérialisées. Il avait toujours su qu'il jouait avec le feu. Mais contre une femme aussi impitoyable, aussi déterminée, contre une volonté de puissance pareille... Il n'avait pas vraiment lutté avant de succomber, de jeter la prudence par-dessus les moulins pour mieux satisfaire une pulsion mystérieuse jamais ressentie avec quiconque. En connaissance de cause.

Il avait cédé à Rebecca la castratrice. Restait maintenant à payer le prix.

— Et moi qui me disais, dans ma grande bêtise, que nous étions heureux !

Elle hurlait. Elle déversait sa bile, à présent. La vérité, elle la lisait dans le regard de Frank. Alors même qu'il lui mentait. Ses craintes les plus terribles étaient fondées. Désormais, elle ne pouvait plus faire semblant.

— Dire que je nous trouvais bien ensemble... Nous sommes censés former une famille, Frank. Je me suis engagée par rapport à toi. Je t'accordais ma confiance.

Il ne parvenait plus à articuler un son. D'ailleurs, à quoi bon nier ? Elle l'avait percé à jour. Que lui dire ? Il chercha les termes les plus appropriés, tout en sachant intuitivement que les mots seraient vains. Des mots vides de sens. Des sornettes encore.

— Ça n'a rien à voir avec toi, dit-il enfin d'une voix qui grinçait.

Ça ne servit pas à grand-chose.

— Espèce de salaud ! Où trouves-tu le culot de me sortir des choses pareilles ?

— Mais je t'aime, Sharon... Tu es ma femme.

— Et toi un salaud égoïste et menteur. Va prendre tes affaires à la maison. Que je ne t'y retrouve pas à mon retour.

L'envie de mourir le prit à la gorge.

— Sharon... s'il te plaît... Je ne veux pas te perdre.

— Il ne fallait pas coucher avec elle !

Sur ce, elle lui passa devant et réintégra son arrière-cuisine. Frank resta là, tête basse, humilié. Et il ne vit pas Garrett qui avait assisté à l'algarade, caché derrière un carreau.

Il écumait de rage à l'idée que ces problèmes affreux, il ne les devait qu'à cette intrigante qui avait le don d'hypnotiser les hommes, de les entraîner dans ses débauches de perverse lubrique. Frank était furieux contre lui-même, furieux contre Rebecca. C'était une roulure, oui, mais lui s'était laissé engluer dans ses filets. Imbécile : voilà le nom qu'il méritait.

D'un coup de pied rageur, il envoya valdinguer une boîte de conserve rouillée. Il se dirigeait vers la porte des cuisines lorsqu'il se ravisa. Non, il ferait le tour par-devant. Il ne voulait pas que Sharon le voie, pas plus que cet obséquieux de Garrett.

Il fit donc le grand tour, monta dans sa voiture dont il fit rugir le moteur. Les pneus firent voler une giclée de gravillons bleutés quand il recula pour tourner au coin de la rue et avaler la distance qui le séparait des quais.

Il grilla feux rouges et stops ; le compteur grimpa même jusqu'à 110 ; bref, Frank accumula les infractions au code de la route. Il s'en moquait. Sa vie, cette grosse blague, était fichue. La rage l'aveuglait.

Frank s'attendait à voir surgir à tout instant les gyrophares dans le rétroviseur, mais non. Arrivé à la péniche, il claqua violemment la portière de sa voiture, se lança au pas de charge et ne s'arrêta que devant la porte de Rebecca.

Ce n'était pas fermé à clé. Il entra en trombe, grimpa l'escalier quatre à quatre, déboucha dans la chambre, le regard fou.

Alanguie sur son lit dont elle avait écarté draps de satin rose et courtepointe douillette, Rebecca regardait des photographies. Sa chevelure en désordre et son peignoir de soie rouge brodé de dragons jaunes qui crachaient le feu sur ses seins décuplaient son apparence si terriblement charnelle. Elle était d'une beauté...

Cette apparition eut l'air de lui faire un choc.

— Qu'est-ce que tu es allée raconter à ma femme ? brailla-t-il.

— Rien. Simplement, je lui ai demandé si tu étais là ou non. Tu n'y étais pas, répondit-elle avec candeur avant de se lever.

Il l'empoigna aux épaules, la secoua comme un prunier. Les pans du vêtement de soie s'écartèrent. Dessous, elle était nue. Le bout rose de ses seins pointait vers lui. Elle ne fit aucun effort pour se dérober.

— Je n'ai rien dit du tout, Frank, insista-t-elle.

— Qu'est-ce que tu es allée faire là-bas ?

Il l'avait blessée.

— Je voulais m'assurer que j'avais toujours un avocat.

Il la secoua de plus belle.

— Ce que tu mens bien...

Aussitôt elle changea d'humeur. Poing sur la hanche, elle railla :

— Aha ! Parce que tu t'imagines que je ne lui ai épargné aucun détail salace ? Mettons que je lui aie donné un ou deux conseils... A ton avis ?

— Espèce de salope !

Il eut beau la secouer, elle se contentait de le toiser, sourire aux lèvres.

— Et si j'étais allée la rassurer, lui raconter qu'entre nous, tout était terminé ? Admettons que ce soit ça...

Il lui envoya une bourrade si rude qu'elle partit s'écraser contre le mur. Ses prunelles, soudain, s'allumèrent, émoustillées.

Ma parole, elle se régalait ! Prenait-elle la séance comme un nouveau petit jeu ?

— Ça vient facilement, tu ne crois pas ?

Elle se redressa de toute sa taille et se passa la langue sur les lèvres. Lentement elle lui offrit une séance de strip-tease, écarta le peignoir sur ce corps incroyable et la soie s'affaissa sur le plancher. Une envie de meurtre saisit Frank. Ses poings se nouèrent. Il se rapprocha, s'apprêtant à la réduire en bouillie...

Il ne frappa point. C'est le pouvoir de cette diablesse qui l'assomma, au contraire. En proie à une émotion incompréhensible, à des pulsions effrayantes, incontrôlables, il sentit ses forces comme aspirées. Jusqu'à n'être plus qu'un insecte minuscule réduit à l'impuissance dans la toile gigantesque d'une araignée vorace.

C'était le mal à l'état pur. Il le savait en toute lucidité. Cette fille, c'était certainement une tueuse. Une tueuse qui avait laissé sans aucun doute plusieurs cadavres sur son passage.

Menteuse invétérée, rusée comme le renard, sorcière...

La raison lui criait de détaler, de fuir à perdre haleine s'il tenait à sa peau, de s'éloigner jusqu'à mettre une distance infranchissable entre cette meurtrière et lui. Et pour toujours.

Ça, c'était la raison qui le lui dictait. Mais raison et bon sens faisaient naufrage, engloutis sous cette pulsion veule, primaire, trop longtemps comprimée sous la multitude d'arguments rationnels dont il s'était ligaturé la cervelle. Et puis il y avait eu cette femme... La pulsion veule, la bête qui ne dormait en lui que d'un œil s'était dressée pour écraser toute manifestation d'intelligence, balayer d'un souffle son échafaudage mental. Pour tout réduire à l'essentiel : la violence brutale de l'instinct.

Non, il ne détala pas. Bien au contraire, il avança droit sur elle, collant son corps au corps nu de cette femelle dont les doigts, déjà, s'affairaient, déboutonnaient sa chemise. Elle reculait... elle reculait pour l'entraîner vers le lit.

Sans un mot il se dépouilla de ses vêtements, faisant acte de soumission totale. Volonté et pouvoir de décision au point mort. Ne restait de l'humain que le corps : un cœur, des bras et des jambes, des mains, des pieds et aussi...

Inutile, tout cela, car à l'intérieur, le cerveau était mort.

Rebecca s'étala devant lui sur sa couche, s'abandonnant avec langueur, l'aguichant de tout son corps, avec son sein qui palpitait sous son souffle, les mamelons qui se dressaient, lèvres écartées, rouges, humides.

Il se coucha le long d'elle et, lui empoignant les seins, se mit à les caresser, pour les couvrir de baisers, en agacer les pointes du bout de la langue. Il était retombé, esclave de son pouvoir, envoûté par son odeur plus puissante qu'un opium, par le contact de sa peau qui lui procurait un plaisir unique.

Sa bouche descendit vers l'entrejambe où il lui saisit les poils du bout des dents. Et il tira. Très fort. Rebecca, gémissante, écarta les jambes, souleva le bassin pour coller son vagin à sa bouche. Il lança sa langue à l'assaut de ce creux mouillé qu'il explora, qu'il lécha, sans oublier de lui malaxer le sein d'une main. Elle s'en empara et se mit un doigt dans la bouche, le suça très violemment, le retira pour en prendre un autre, le sucer très fort et ainsi de suite... jusqu'à ce qu'arrivée au pouce, elle y donne un bon coup de dent.

Frank lui arracha sa main.

Il sentit ses jambes se nouer autour de sa taille et soudain, d'un coup de reins, elle se retrouva sur lui, le coinçant dans l'étau de ses cuisses. Contre son bras, il reçut le contact glacé d'un objet de métal. Il le déplaça aussitôt. Dans les mains de Rebecca, des menottes.

— C'est celles qui ont attaché Andrew Marsh ? fit-il, d'abord interloqué puis saisi de colère.

— On ne trouve pas tout, avec un mandat de perquisition, minauda-t-elle.

Comme mue par l'éclair, sa main vola et il l'empoigna pour essayer de la faire basculer sur le dos. Elle se débattit, forte comme un homme, lutta pour avoir le pouvoir. Ils transpiraient, la peau ruisselant de sueur, le souffle court sous l'effort violent. C'étaient la frénésie, la surexcitation qui lui donnaient des forces. Celles de Frank lui venaient de la fureur mêlée du sentiment d'avoir totalement bousillé son existence.

Il la coinça sur le lit en l'écrasant de tout son poids. Le visage au ras du sien, la prunelle embrasée de haine, il se sentait rouge de colère et d'épuisement. Les menottes, il les lui avait volées.

— C'est à une nouvelle version de tes petits jeux qu'on va jouer, Rebecca.

Rassemblant ses forces, il lui colla le bras au cadre de métal et lui referma une des menottes sur le poignet ; le choc du métal contre la barre se répercuta, sinistre, dans la chambre. Elle poussa un grognement et lui envoya un coup de pied, le manquant de peu.

Frank trouvait ça assez amusant. Il lui saisit l'autre poignet avec brutalité, le tira en arrière, fit passer l'autre menotte sous la barre pour lui emprisonner l'autre main. De nouveau, elle rua. Ce qui tira un rire à Frank.

— Moi qui croyais que tu aimais ça de toutes les façons...

Elle était en son pouvoir. Il l'avait attachée solidement à la tête du lit. Elle se tortillait, se contorsionnait, luttait pour se libérer. Rien à faire ! Il se plaça sur elle et lui écarta les cuisses à coups de genou.

Il la pénétra comme une brute, pétrissant ce corps en sucur qui se tortillait. Il l'écrasait de tout son poids, l'empêchant presque de bouger. Quand il porta la bouche à son sein, qu'il goba le mamelon, ce fut pour y planter les dents, bien fort.

Elle poussa un hurlement de douleur.

Sans prévenir, elle le mordit au cou. Ce qui le fit rugir et s'écarter, sous le coup de la souffrance. Sur la bouche de cette fille ruisselait son sang à lui.

Il éclata de rire encore une fois.

Elle était réduite à l'impuissance. Le maître, c'était lui. Elle trouvait ça exécrable. L'horreur se lisait dans son regard. Ça ne lui était bien entendu jamais arrivé, cette inversion radicale de la situation. Toute excitation était anéantie par la terreur.

— Alors, on prend son pied ?

— Va te faire foutre !

— Bonne idée.

Il lui empoigna un sein et serra de toutes ses forces. Elle poussa un gémissement, ruant à coups de reins, cherchant à se libérer. En vain. Il l'empala violemment, la prit aux hanches pour la pénétrer jusqu'à la garde.

Et ce fut un déchaînement. De la folie furieuse. La rage bouillonnait en lui comme la lave d'un volcan juste avant l'éruption. Il la laboura d'un bon coup de reins. Dès qu'il l'entendit se plaindre, il lui écrasa la carotide de son bras.

— Je... ne peux plus... respirer, haleta-t-elle.

Il souleva à peine le bras pour ne laisser pénétrer qu'un souffle d'air et reprit de plus belle ses ruades, ses triturations douloureuses du corps de sa proie.

Il fallait lui faire très mal, lui infliger une souffrance insoutenable. Il fallait la tuer.

La baiser à mort. Jusqu'à ce qu'elle en crève.

Il dormit sur le divan, au bureau. C'est Biggs qui le réveilla dès son arrivée, au matin.

Le soleil qui entrait à flots avait surpris la fine couche de poussière qui s'était déposée sur sa table pendant la nuit. Table débarrassée de tous ses papiers qui gisaient, épars, sur la moquette.

Biggs eut un choc quand il vit son patron dans

cet état : on aurait juré qu'il avait passé la semaine en beuveries. Fine mouche, il s'abstint pourtant de poser des questions. Le comportement du patron n'était-il d'ailleurs pas toujours assez bizarre, au cours des procès d'envergure ?

— Hé ! Patron !

Affreusement vaseux, Frank roula sur le dos et ouvrit lentement les yeux. Au sang qui lui battait aux tempes s'ajoutaient des douleurs dans tout le corps. Il mit un moment à se repérer. Quand il eut reconnu Biggs, il se dressa sur son séant et secoua la tête pour s'éclaircir les idées. Il avait un goût acide dans la bouche ; son estomac criait famine. Il se frotta le visage à deux mains et regarda Biggs :

— Donnez-moi une minute, d'accord ?

— Sûr, mais j'ai quelque chose pour vous.

— Attendez que mon cerveau ait embrayé.

Biggs le laissa seul. L'avocat se leva pour se rasseoir très vite tant il avait le vertige. Il ferma les yeux. Le sang lui battit à coups redoublés aux tempes. Il fut pris de nausées.

Et le souvenir de sa nuit lui revint. Des scènes horribles, sans suite. Rebecca et lui qui s'étreignaient, toutes griffes dehors, corps qui s'accouplent comme des bêtes, sans fard ni courtoisie. Elle l'avait ramené à l'état de bête primitive, au néant. Ce qui lui donna envie de pleurer. Il réprima un sanglot au souvenir de l'envie qu'il avait eue de la tuer. Oui, il était allé jusqu'à la vouloir morte. Ce qui aurait pu se produire...

Il partait à la dérive, tout bonnement.

Le visage de Sharon lui apparut, très flou. Le visage de la femme trahie, ulcérée. Il la revit tendre vers lui un doigt accusateur, lui criant dans la ruelle de partir pour toujours. Il vit Rebecca lui éclater de rire au nez, l'aguicher, ôter son peignoir pour en faire jaillir ses seins, pour le mettre au défi de lui résister.

Il avait donné dans le panneau, en vraie chiffe molle.

Frank se frappa le front. Puis il se leva péniblement et se dirigea en titubant vers le cabinet de toilette.

A l'instar de bien des avocats, Frank gardait en réserve, au bureau, des vêtements de rechange. Il n'y avait pas de douche mais un lavabo avec serviettes, savon, dentifrice et rasoir.

Il fit couler de l'eau froide et y plongea la tête. L'eau déborda et lui coula sur les chaussures. Il s'en moquait. La fraîcheur agissait sur lui comme un tonique, le ramenant un peu à la vie.

Il farfouilla dans l'armoire à pharmacie, en sortit un tube d'aspirine et prit trois cachets. Puis il vida le lavabo, le remplit d'eau bouillante, la plus chaude possible. Au bout de dix minutes, il ressortit du cabinet de toilette presque requinqué, à l'exception de ses yeux injectés et soulignés de bouffissures qui révélaient sa nuit agitée.

Il gagna enfin la salle de réunion où Biggs l'attendait en pianotant sur la table en acajou.

— Et alors, qu'est-ce qui vous met pareillement en train ? Du nouveau sur ce Roston ?

— Non, patron. Désolé.

— Rien du tout ?

— Non. Il n'y a rien sur ce type. Je me suis fait seconder par deux copains et à nous trois on a posé toute la soirée des questions à la ronde. Roston passait sa vie à râler contre Rebecca et s'il ment, c'est qu'il ment depuis un bon bout de temps.

— Super ! lança Frank en faisant la grimace.

— Mais je n'ai pas perdu entièrement ma soirée ! J'ai mieux que Roston à vous mettre sous la dent.

— Quoi ?

— Vous vous souvenez de la cassette trouvée chez Marsh ?

— Oui.

— Eh bien, Marsh passait son temps à en faire, de ces vidéos merdiques ! Il aurait même pu ouvrir une boutique de cassettes porno.

Le détective saisit la télécommande posée sur la table et alluma. La bande qu'il avait déjà introduite dans le magnétoscope se déroula.

Apparurent Marsh et Rebecca ; la fille le chevauchait, sa position préférée. Rebecca souriait à la caméra. Les voix, légèrement altérées, demeuraient compréhensibles.

— Remue-moi ça... Allez, remue ton joli petit cul, disait Marsh.

— Comme ça, tu aimes ? minaudait Rebecca en lançant son bassin en un assaut ralenti et profond.

— Oui... Oh ! oui...

— Tu as oublié de dire s'il te plaît...

Frank ferma les yeux un instant. C'en était trop, il était en train de lutter pour effacer ses propres souvenirs et voilà que Rebecca reparaissait, qu'elle faisait ce qui lui donnait tant de plaisir, pompait et ruait et...

Il lui fallait pourtant regarder. Pour son travail. Car il ne lui restait plus que ça dans la vie : le travail.

Ployant la nuque, Rebecca projeta sa poitrine vers Marsh et, tout en triturant les bouts de ses seins, elle s'empala, d'un seul coup. Et puis tout doucement, sa tête s'avança et ses yeux s'ouvrirent grand. Elle souriait à Marsh.

Frank la vit se soulever, entraînant Marsh avec elle, le sexe de cet homme coincé dans son vagin. Elle le fit légèrement basculer sur le côté et assena une bonne claque sur le flanc qui s'offrait à la caméra. Marsh émit un grognement voluptueux.

Frank fut pris d'une envie de vomir. Cette cassette, il l'avait bien vue vingt fois. La curiosité simplement émoustillée, il s'était demandé quel effet cela lui ferait de prendre la place de Marsh.

Maintenant que sa curiosité avait été satisfaite, maintenant que son côté malsain s'était vu révélé, visionner ce film lui causait des tourments intolérables. Honte et désir se réveillaient en lui.

— En quoi sommes-nous plus avancés ? demanda-t-il, désireux d'en finir.

C'est alors que sur l'écran on ne vit plus que de la neige.

— Regardez bien, dit Biggs d'une voix survoltée. A moi aussi, ça m'aurait échappé mais le téléphone s'est mis à sonner et j'ai laissé en marche pendant ce temps. Garrett croyait avoir enregistré sur une cassette vierge. En fait, elle n'avait été qu'effacée. Et pas jusqu'au bout.

Frank attendait. Une image apparut sur l'écran. On avait changé la caméra. Elle ne se trouvait pas fixée sur un tripode ; c'est quelqu'un qui la tenait. Elle se promenait sur le corps nu d'une femme. Pas celui de Rebecca, un autre. Une femme qui se cachait pudiquement le bas-ventre des mains.

Frank entendit la voix de la femme. Elle étouffa un petit rire niais tout en disant :

— Andrew ?

Frank pensa l'avoir reconnue mais pour plus d'assurance, il interrogea Biggs du regard.

— Mouais, approuva le détective, souriant, tout fier d'avoir découvert ce morceau de choix qui allait faire basculer le cours du procès.

Frank revint à l'écran. On entendait la voix surexcitée de Marsh, très nettement :

— Enlève les mains, bébé. Montre-moi...

Joanne Braslow — oui, c'était elle —, obéit aux ordres, d'abord un peu gênée puis, quand elle s'y fut accoutumée, elle se mit à jouer les vamps. Le caméscope prit un gros plan de ses seins, passa au visage. Marsh s'amusait avec son zoom et l'image tressautait, le champ se rétrécissait et s'élargissait tour à tour tandis que Joanne se lançait dans une sarabande à sa façon.

La neige envahit de nouveau l'écran.

Frank en resta assommé. Il se frottait le menton, cloué à son siège, tandis que Biggs éteignait les appareils.

— C'est sa période artistique, avant qu'il retourne au tripode, annonça le détective.

— Joanne prétendait avoir avec Marsh une relation de travail. Et quel travail !

— De mieux en mieux, patron, hein ?

— Je me demande si on pourrait trouver mieux, Biggs.

— Devinez le nom du légataire de Marsh, celui à qui il a commencé par léguer la coquette somme de deux cent cinquante mille dollars.

— Joanne Braslow.

Les traits de Biggs s'affaissèrent. Il aurait voulu avoir la primeur de cette bombe.

— Ouais.

Frank se leva et planta un baiser sonore sur la joue de son détective préféré.

— Hé, patron, vous allez me faire rougir !

En vérité, il était fou de joie.

Frank en eût mis sa main à couper.

C'est Biggs qui avait trouvé cette perle. Qui l'avait extraite de sa gangue. Une preuve qui attendait depuis le début, qui attendait qu'on tombe dessus. Garrett était passé à côté ; la police aussi. Depuis des mois ils grattaient furieusement comme des poulets le fond de leur cage, cherchant des preuves qui les renforcent dans leurs présomptions. Et ils étaient tous passés à côté de ça.

Tous sauf Biggs. Ça lui était tombé dessus par pur hasard, un coup de pot, mais tant pis. L'essentiel, c'était d'avoir exhumé ce morceau de choix. Frank lui en était reconnaissant.

— Vous vous rendez compte de ce que vous avez fait ?

— P't-êt' bien qu'oui, patron. J'crois bien que ça va nous aider grandement.

Il rayonnait. Frank hocha la tête :

— Je dirai même plus, vous m'avez sauvé la mise, vieux. Vous m'avez tiré d'un sacré pétrin.

10

Au tribunal, Rebecca reprit place à côté de Frank, le visage insondable. Dans le parking, comme si de rien n'était, elle lui avait dit bonjour d'un air enjoué et avait attendu qu'il la précède dans l'ascenseur.

Frank avait lu la même admiration au fond de ses yeux. Il était son avocat, il se chargeait donc de sauver sa tête. Rien de plus. Aucune allusion à leurs débauches de la veille. Comme s'il ne s'agissait que d'un pur fantasme.

Si Frank ne trouvait toujours pas la force de lui adresser la parole, sur le plan du pouvoir, il avait quand même rééquilibré la donne. Ça l'avait ainsi libéré des conflits psychologiques qui le déchiraient.

Le juge Burnham parut, monta sur l'estrade et le public s'installa. Sereine, l'air sûr de soi, l'ébauche d'un sourire errant sur sa bouche charnue, Rebecca portait sa coiffure comme un nimbe doré autour de son visage innocent.

Avec sa robe d'un bleu vif au décolleté carré qui révélait trois rangs de perles, elle était l'élégance même, comme d'habitude.

Garrett se dressa, très imbu de sa personne, très sûr de lui. Il adressa un petit salut de la tête au banc des jurés, se tourna vers le juge et attaqua :

— Plaise au tribunal d'adopter mes conclusions, Votre Honneur !

Le juge Burnham passa à Frank :

— La défense est-elle prête ?

Au tour de Frank de se lever.

— Oui, Votre Honneur, nous sommes prêts. Pouvons-nous venir vous toucher deux mots ?

Le juge lui fit signe que oui. Flanqué de Garrett, Mᵉ Dulaney, conformément à la procédure, présenta sa requête : le retrait de tous les chefs d'accusation. Ça lui serait refusé, naturellement, mais s'abstenir de le faire eût constitué un manquement au devoir.

Comme prévu, le juge Burnham refusa la requête et ordonna aux deux avocats de regagner leur place. Puis :

— Maître Dulaney, vous pouvez appeler votre premier témoin, dit-elle.

— Votre Honneur, la défense appelle le Dr Raymond Wong à la barre.

On introduisit le Chinois qui prêta serment sur la Bible et s'assit confortablement sur le siège réservé aux témoins. Quand son regard tomba sur Rebecca, il lui fit un signe de tête pour lui montrer qu'il l'avait vue. Ce qui lui valut un sourire de l'accusée.

Frank cuisina le témoin afin de vérifier, notamment, s'il était habilité à porter le titre de « docteur » puis il lui demanda depuis combien de temps il soignait Rebecca.

— Je soigne miss Calson depuis un an.

Bras croisés, Frank s'était planté tout près de la barre.

— Pour quoi la traitez-vous, docteur ?

— Elle est affligée de douleurs menstruelles.

— En quoi consiste ce traitement ?

— Je lui plesclis de la lacine de pivoine de Chine.

La déroute, sur les traits de Garrett, n'échappa point à Frank. Parfait. Il n'était pas au bout de sa surprise, le bougre.

— A quoi ressemble la racine de pivoine de Chine, docteur Wong ?

— C'est une poudle blanche.

Le public marmonna, en sourdine. Frank observa Garrett à la dérobée. Rien sur son visage. En revanche, son assistante prenait des notes à toute vitesse, et elle avait l'air de souffrir.

— Comment se présente l'emballage de cette poudre, docteur ?

— On la vend en petite bouteille.

— Une fiole ?

— Oui.

— Comment votre patiente est-elle censée ingérer cette poudre blanche ?

Le Dr Wong revint à Rebecca.

— Pal inhalations. La poudle pénètle la paloi nasale.

— Merci, docteur. Je laisse le témoin à la disposition de l'accusation.

Garrett baissait le nez. Il étudiait ses documents.

— Pas de questions.

Le juge Burnham intervint :

— Vous pouvez quitter la barre, docteur... Témoin suivant, maître Dulaney.

— La défense souhaite rappeler Joanne Braslow à la barre, Votre Honneur. Auparavant, je souhaiterais vous dire quelque chose.

— Approchez.

Il ne put s'empêcher de lancer à son adversaire un sourire qui aurait fait fondre un iceberg. Manège qui n'échappa point aux jurés.

Les deux hommes se plantèrent devant le juge et Frank embraya :

— Votre Honneur, la défense souhaite produire une pièce à conviction qui demande une décision de votre part. Je voudrais que cette pièce soit visionnée en chambre du conseil.

— Fort bien.

— J'aimerais également que mon stagiaire y assiste. Pour sa gouverne.

Le juge haussa les sourcils. Garrett suggéra :

— Puis-je me faire accompagner de mon assistante ?

— Pourquoi pas ? lâcha Frank.

— Je vais me retirer dans la chambre du conseil avec la défense et l'accusation accompagnés de leurs stagiaires. Il n'y a pas pour autant suspension de séance. Par conséquent, on ne bouge pas.

Elle sortit et gagna ses quartiers, suivie de la procession des avocats. Comme la négociation s'était déroulée en aparté, les spectateurs se mirent à commenter, spéculant sur les causes de cette interruption.

Frank demanda l'autorisation de passer la cassette vidéo, ce qui lui fut accordé. Si Garrett parut perplexe, il ne souleva pas d'objections. On introduisit la cassette dans un magnétoscope et au lieu de suivre la scène, Frank observa les visages à la ronde : celui du juge ne trahit aucune émotion, même quand Joanne apparut sur l'écran.

Ce ne fut pas le cas de Garrett. Dès qu'il eut compris qu'il s'agissait de la secrétaire, les yeux lui sortirent de la tête. Bouche bée, il se leva à moitié, offrant l'image d'un supplicié. Les joues en feu, le front plissé sous l'effet de la consternation, il ne pouvait qu'assister, pétrifié, à l'effondrement de son dossier de l'accusation.

Joanne Braslow, la petite secrétaire impeccable, avec toute sa dévotion et sa compétence professionnelle, la voilà qui caracolait, nue comme un ver, sous ses yeux. Elle aussi, elle le faisait avec Marsh.

S'il s'agissait bien d'un meurtre, miss Braslow avait eu le mobile, l'occasion et probablement les moyens de l'accomplir. Il y avait réellement de quoi être accablé.

Garrett se tassa sur son siège. A la fin de la cassette, Frank éteignit le magnétoscope et interrogea le juge du regard. La réponse ne tarda pas :

— Je vous autorise à utiliser ce film.

Et tout ce petit monde réintégra la salle du tribunal. Rebecca accueillit Frank d'un sourire : elle déduisait à son expression que la situation s'était retournée en sa faveur. En revanche, Garrett avait peine à masquer son amère déception. Les jurés, tenus dans l'ignorance, étudiaient tour à tour les deux avocats. Un suspense incroyable tenait la salle en haleine.

— La défense souhaite rappeler Joanne Braslow à la barre, annonça Frank, haut et clair.

La secrétaire fut introduite. Un regard torve du juge suffit à calmer la salle qui s'était remise à chuchoter.

— Je vous rappelle que vous êtes toujours sous serment, l'avertit le juge.

— Oui, Votre Honneur, répondit la secrétaire.

Frank fit un petit sourire à Joanne. Cette fois, son maquillage, on le voyait ; sa robe également paraissait un peu moins classique. En somme, par rapport à sa première apparition au tribunal, elle était transformée.

— De combien auriez-vous hérité si M. Marsh n'avait pas modifié son testament au profit de Rebecca Carlson ?

La secrétaire baissa le nez.

— Deux cent cinquante mille dollars.

— Et après rectification du testament ?

— Dix mille dollars. Une belle somme encore. Je lui suis d'ailleurs reconnaissante d'avoir même pensé à moi.

Frank avait peine à se retenir d'éclater de rire. Ils mentaient d'un bout à l'autre. Tous tant qu'ils étaient.

— Après tant d'années de bons et loyaux services, ça ne se monte pas à grand-chose.

— Je ne suis pas cupide.

Frank avait retrouvé tout son sérieux. Il arborait maintenant cette grimace du boxeur qui s'apprête à mettre son adversaire K.O.

— Non, vous n'avez rien d'une petite sainte, ricana-t-il. Marsh vous a déshéritée, il vous a répudiée pour une fille plus jeune...

Très pâle, Joanne balbutia :

— On dirait que vous essayez de faire croire que...

— Et malgré ce coup bas, vous trouvez quand même des gentillesses à dire sur cet homme !

— Objection ! intervint Garrett. Le défenseur engage le témoin dans des interprétations ten-

244

dancieuses. Je demande à ce que ceci soit retiré.

— Objection retenue. Il ne sera pas tenu compte des commentaires de la défense, confirma le juge Burnham.

Frank s'y attendait. Mais il avait réussi à dire ce qui devait être dit. Joanne mentait.

— Et maintenant, Joanne, il va falloir nous dire la vérité. N'aviez-vous pas, en réalité, des relations très intimes avec Andrew Marsh ?

— Qu'est-ce que ça signifie ? demanda-t-elle, les mains agitées d'un léger tremblement.

— N'étiez-vous pas... amants ?

— Non ! glapit-elle.

Frank poussa un gros soupir. Pour l'édification des jurés. Il voulait s'attirer leur bienveillance, leur montrer qu'il ne démolissait les déclarations de cette femme que pour leur révéler ses mensonges. Qu'il se bornait à faire son travail, et encore, avec une certaine répugnance.

Il se tourna vers Rebecca. Radieuse, elle débordait visiblement de confiance en soi. Son ennemie, cette méchante femme qui s'acharnait à sa perte pour des motifs purement égoïstes, n'était-elle pas sur le point d'être démasquée ?

— Vous tenez vraiment à ce que j'introduise comme pièce à conviction la vidéo tournée par Marsh et qui prouve l'intimité de vos relations avec lui ?

Comme assommée, Joanne eut tout juste la force d'émettre un « Oh ! non, c'est impossible ! ».

Frank attendit. Elle dut lutter pour reprendre contenance et finit par avouer :

— On est sortis ensemble.

— Jusqu'à ce qu'il fasse la connaissance de Rebecca ?

— Euh... Oui.

Frank hocha la tête et, après avoir contemplé un instant le sol, il poursuivit d'une voix dépourvue d'agressivité :

— Vous l'aimiez toujours ?

— Bien sûr que je l'aimais !

— N'avez-vous pas jugé cruel de sa part de vous faire ses confidences au sujet de Rebecca après avoir rompu avec vous ?

Garrett n'allait pas tolérer ça.

— Objection ! Ces précisions seraient sans rapport avec ce qui nous préoccupe.

— Je retire ma question, déclara Frank et, avançant d'un pas, à Joanne : En avez-vous été blessée ?

— Objection ! s'exclama Garrett. Question oiseuse encore une fois.

Frank commençait à s'échauffer. Garrett avait vu la fin de la vidéo ; il savait par conséquent à quoi on allait en venir et que c'était ça, la vérité. Pourtant, il s'obstinait à s'interposer. Répugnant, ses manœuvres.

— Votre Honneur, protesta Frank à l'adresse du juge. Nous avons là un témoin qui manque d'objectivité, qui nourrit des préjugés défavorables à l'égard de l'accusée. Je m'efforce par conséquent de déterminer jusqu'à quel point cette hostilité a pu dénaturer ses déclarations.

— Objection rejetée !

De dépit, le substitut émit un clappement de la langue. Ce que le juge entendit.

— Pas de ça avec moi, maître Garrett. Nous ne sommes pas au jardin d'enfants.

Mains sur les cuisses, Rebecca lui parut étrangement sage. S'arrachant à son regard, Frank se tourna vers le public afin de deviner comment on réagissait à ce coup de théâtre. C'est alors qu'il remarqua Sharon. Assise sur un banc du milieu, elle l'observait. Frank en fut parcouru d'un frisson glacé et détourna les yeux.

Quand il voulut continuer avec Joanne Braslow, il avait perdu le fil de ses pensées. La vue de Sharon l'avait violemment ému et, plus que tout, avait ravivé son sentiment de culpabilité.

Il ne put que rester là, muet.

Ce fut le juge qui le tira de sa transe :

— Poursuivez, maître. J'aimerais en finir avec ce procès avant la retraite.

Rebecca, qui avait surpris le regard de Frank, se retourna vers les bancs réservés à l'assistance. Elle comprit aussitôt ce qui mettait Frank si mal à l'aise et adressa un sourire suave à Sharon... qui la fusilla d'un regard féroce.

Frank eut toutes les peines du monde à se remettre. Enfin :

— Cela vous blessait-il qu'Andrew Marsh se

livre à des confidences à propos de cette femme qui vous avait remplacée dans son intimité, Joanne ?

Des larmes commencèrent à ruisseler sur les joues de la secrétaire.

— Qu'est-ce que vous croyez ? J'étais anéantie. Mais je savais que ça ne durerait pas.

— Pensiez-vous qu'Andrew vous reviendrait, une fois cette liaison terminée ?

— Des femmes pareilles, les hommes ne les épousent pas.

Frank la sonda un instant.

— Vous aurait-il dit qu'il souhaitait l'épouser ?

Du revers de la main, elle essuya ses larmes et ne réussit qu'à se barbouiller de maquillage, ce qui lui donna l'air grotesque.

— Elle le repoussait... Elle lui avait déjà soutiré tout ce qu'elle voulait.

— Contrairement à vous.

— Objection ! protesta Garrett. C'est au témoin que l'avocat de la défense se permet maintenant de faire un procès.

— Et elle le mérite, s'écria Frank.

— Mais je l'aimais, moi, renchérit Joanne. Jamais je ne lui aurais fait de mal.

Penché vers elle, menton agressif, bras raidis contre ses flancs, Frank l'agressa :

— Même si on vous l'avait demandé ?

— Suffit, maître Dulaney, fit le juge. Il y a eu objection et je la maintiens. Que l'on retire la question de Mᵉ Dulaney du dossier... En avez-vous terminé avec vos petites astuces, maître, ou y a-t-il encore un thème que vous aimeriez aborder ?

— En effet, Votre Honneur.

— Dans ce cas, qu'attendez-vous ?

— Bien, Votre Honneur.

— Vous avez dit dans votre déposition qu'il vous arrivait de faire des courses pour M. Marsh, miss Braslow.

— Oui, admit-elle, ravalant ses larmes.

Ce que voyant, le juge lui demanda si elle souhaitait faire une pause.

— Non, merci, répondit la secrétaire.

Rebecca était aux anges. Elle se régalait manifestement de voir choir de son piédestal cette sainte nitouche de Joanne Braslow, en réalité cocaïnomane, perverse et hypocrite.

— Vous alliez notamment à la pharmacie pour lui ?

— Oui.

— Lui acheter un pulvérisateur nasal quand il avait de la sinusite, par exemple ?

Ses yeux s'arrondirent comme des soucoupes. Comprenant où Frank voulait en venir, elle eut peur. L'avocat emprunta un dossier à Gabe et revint se planter devant le témoin.

— Vous avez signé le bon de livraison d'un pulvérisateur nasal le 8 avril, date de la mort d'Andrew Marsh, annonça-t-il.

Elle s'apprêtait à dire quelque chose mais les mots lui manquèrent. Frank en profita :

— Je voudrais faire enregistrer le reçu de la pharmacie Montclair comme pièce à conviction. Il s'agit de l'aérosol qui a provoqué la mort. On n'en a pas trouvé d'autre en fouillant la maison. N'est-il pas vrai que c'est vous qui y avez ajouté de la cocaïne ?

— Non ! hurla-t-elle, révoltée.

— Par jalousie ? Parce qu'il vous a rayée de son testament ? Parce que vous aviez...

Malgré les objections de Garrett, Frank poursuivit :

— Parce qu'il vous fallait bien vous procurer votre drogue... ?

Au tour du juge de s'écrier :

— Vous vous égarez, maître ! Objection retenue.

Dans un état d'effondrement absolu, Joanne Braslow leva les yeux vers le juge et, d'une voix brisée :

— Je ne... je ne répondrai plus aux questions qu'en présence de mon avocat.

Frank se détourna. Il tenait à voir la réaction de Sharon maintenant qu'il avait prouvé que la tueuse, ce n'était pas Rebecca, qu'il n'était pas non plus le dindon de la farce. Il voulait vérifier ce qu'elle pensait de lui.

Il allait en être pour une surprise désagréable : à la place de Sharon, il y avait quelqu'un d'autre.

— Je désire vous dire un mot, Votre Honneur, déclara Frank.

Le juge Burnham fit signe aux avocats de s'avancer.

— Eu égard aux déclarations du dernier témoin, je souhaite à nouveau demander que l'on retire toutes les charges qui pèsent contre l'accusée, Votre Honneur. Il paraît clair que ce témoin avait à la fois le mobile et l'occasion pour assassiner Andrew Marsh. Par conséquent, il y a réelle « présomption d'innocence » en faveur de ma cliente.

— Pas du tout, Votre Honneur, objecta Garrett. Rien ne prouve concrètement que Joanne Braslow est coupable de ce crime. Elle...

— Et le vaporisateur nasal ? C'est elle qui l'a acheté.

— Silence ! trancha le juge en baissant la voix. Au stade où en est arrivé le procès, je n'ai pas l'intention d'en arrêter le cours. Je m'en remettrai aux jurés pour trancher d'après les faits. Abrégeons, messieurs. Et oubliez votre motion, maître Dulaney.

— J'aimerais qu'elle figure quand même au dossier, Votre Honneur.

— Fort bien. Poursuivons.

Quand Frank eut retrouvé son siège, Rebecca lui murmura :

— Vous vous débrouillez comme un vrai chef, Frank.

Il ne lui prêta pas la moindre attention, se

bornant à énoncer sa demande de retrait des charges à l'intention du jury. Elle lui fut aussitôt refusée officiellement.

— Il est seize heures. Le procès ne reprendra que demain matin.

Et sur un coup de marteau, le juge se retira.

Totalement épuisé, Frank s'affaissa contre le dossier de son siège. Il était néanmoins satisfait. Sa motion pour le retrait des charges, il s'attendait évidemment à ce qu'on la repousse. N'empêche que la présomption d'innocence gagnait rapidement du terrain. Peut-être pas dans son intime conviction ni dans celle des jurés, mais comme sur le plan purement juridique il avait prouvé que le cas était vraiment douteux, cela ouvrait la voie à l'appel, en cas de verdict défavorable à Rebecca.

Son travail, c'était ça. Et Rebecca avait raison : il avait bel et bien accompli des prodiges.

— Cinq ans ensemble, rien que ça ! s'extasiait Rebecca. Et dire que ce n'était même pas son genre...

Frank et elle se trouvaient dans l'ascenseur qui descendait au parking. L'avocat ne parvenait pas à chasser de son esprit le souvenir de Joanne qui, terriblement ébranlée, venait de quitter la barre en pleurs ; elle avait parfaitement saisi que désormais on la considérait comme suspecte dans ce crime. Il ne put retenir un vague sentiment de compassion pour cette femme.

Vision qui s'évapora sitôt atteint le parking. Frank constata qu'on avait remplacé l'ampoule brisée. Il balaya ce décor du regard et les souvenirs qui surgirent lui donnèrent un frisson glacé. Brusquement dégrisé, il sentit le remords l'envelopper dans son linceul sordide.

— C'est la jalousie qui te fait parler ? dit-il à Rebecca.

Elle eut l'air interloqué et cracha :

— Mais c'est elle qui l'a tué ! Elle a tout manigancé pour avoir ma tête et elle a bien failli gagner. Je n'éprouve pas la moindre pitié pour elle.

Frank s'arracha à la contemplation de cette rangée de voitures garées le long du mur afin de chasser de son esprit l'image perturbante de ses ébats avec Rebecca. Ces images... Elles le hantaient, dans le sommeil et dans la veille. Pas moyen d'y échapper. A nouveau déboussolé, il partait à la dérive... Il tourna son visage sombre vers Rebecca.

— Sais-tu ce qui me préoccupe ? C'est de savoir ce qui l'a poussée à réceptionner à domicile un atomiseur à trois sous, de signer un reçu qui n'échapperait pas à la police si elle l'utilisait vraiment pour commettre son crime.

— Laisse à Garrett le soin de fournir une explication, lui conseilla Rebecca.

— Et si c'était tout bonnement par hasard,

qu'on l'avait tué ? Si c'était quelqu'un d'autre qui avait tiré parti de la négligence de Joanne ?

Rebecca fit halte pour le dévisager.

— Tu veux dire que c'est peut-être moi qui ai fait le coup ?

— Peut-être, oui, fit-il d'un ton neutre.

Cette réponse la piqua.

— Si toi tu n'es toujours pas convaincu par les faits, comment veux-tu que les jurés en soient persuadés ? Tu les observes, de temps en temps ? Ils en meurent d'envie, de me condamner.

— Tout ce qu'il leur faut, c'est qu'il subsiste un doute suffisant.

— Je connais parfaitement leur fonctionnement mental, geignit Rebecca. Les femmes me détestent ; elles me considèrent comme une traînée. Quant aux hommes, ils voient en moi une putain sans cœur à qui ils vont faire payer toutes les rebuffades que les filles des bars ont pu leur envoyer à la figure.

— Il ne tenait qu'à toi de leur faire croire autre chose. C'est tout juste si je ne t'ai pas suppliée à genoux de t'habiller plus classique. Tu as refusé. Soi-disant qu'il leur faudrait te prendre comme tu es, que tu n'étais pas là pour jouer la comédie. Ce n'est plus l'heure de pleurnicher parce qu'ils t'ont méjugée, Rebecca. Tu les as aidés. Sans compter que tu te surestimes énormément.

Soudain très froide, elle toisa son avocat comme s'il s'était agi d'un tas d'ordures.

— Il faut que moi aussi, je passe à la barre des témoins.

— Non, Rebecca.

— Ils vont me condamner à vingt ans de prison si je ne témoigne pas. Il faut absolument que je me défende.

Frank prit une profonde inspiration et finit par déclarer :

— Je n'envoie mes clients à la barre qu'en dernier recours, quand le procès tourne au fiasco.

Rebecca s'obstinait. Elle pointa son index sur lui.

— Le problème, c'est que généralement, tes clients sont bel et bien coupables ! C'est toi qui me l'as dit.

— Non. Je t'ai dit qu'en général, c'étaient eux qui avaient fait le coup. Pas qu'ils étaient coupables de tout ce que le substitut leur mettait sur le dos. Non, Rebecca, je n'ai pas l'intention de te laisser ficher ma défense par terre.

— Mais puisque Jeffrey Roston s'en est déjà chargé, de la flanquer par terre ! s'écria-t-elle d'une voix si vibrante que l'écho lui en revint du fond du garage.

— La perfection n'est pas de ce monde !

Hors d'elle, mains sur les hanches, elle fit le tour du parking des yeux et soupira d'un air indigné. Changement de tactique... Sa colère se dissipa. Frank n'eut plus devant lui qu'une enfant incomprise.

— Tu ne peux pas refuser de me donner l'occasion de m'expliquer, Frank, écoute...

Frank respira longuement et puis il lâcha :

— Je t'écoute.

Assis au volant de sa voiture garée le long du quai, il contemplait la péniche au son de ses warnings qui clignotaient. Les rideaux de sa chambre frissonnaient ; la lumière tamisée était une invite, comme toujours. Il mourait d'envie de s'y trouver. Avec elle. Inutile de le nier.

Ce soir-là, bien que fort ébranlé, son bon sens avait eu le dessus : il avait décliné l'offre.

La fraîcheur de l'air humide s'insinuait dans ses os. Il souffrait de raideurs ; il avait mal. Lessivé, il se sentait bien seul et partait à la dérive. Après avoir relevé sa vitre, il mit le contact. Tout en s'éloignant, il se sentit tiraillé par une envie poignante de rebrousser chemin.

Quand il stoppa devant le club de karaté, il eut juste le temps de voir Sharon s'éloigner en compagnie de Michael. Un bras possessif passé sur les épaules de leur fils, Sharon l'entraînait vers sa voiture. Michael se retourna juste au moment où son père se garait le long du trottoir. Il poussa un hurlement de joie et courut à toute vitesse vers lui.

Sortant de l'auto les bras grands ouverts, Frank reçut Michael contre son cœur. Quel bonheur de pouvoir étreindre à nouveau son enfant... Il ne l'avait pas vu depuis deux jours seulement, mais son fils lui avait terriblement manqué. Ces deux jours lui avaient paru des années.

Il étreignit son fils un instant et puis, le saisissant aux aisselles, il le fit tournoyer, au grand ravissement du petit. Et puis il l'embrassa encore.

En arrière-plan, Sharon les observait. Il la regarda avec amour, elle aussi, elle lui avait manqué. Plus qu'il ne l'aurait cru.

Sa vie n'était plus que ruines. Il n'en restait plus rien. Il s'était englué dans les rets d'un univers inconnu et redoutable, un monde dans lequel cette tentatrice avait une telle emprise sur lui qu'elle le manipulait comme une marionnette qu'on secoue au bout de son fil. Et de cette existence abjecte, Frank n'avait plus la force de s'écarter.

— Tu lui manques, lui chuchota Michael à l'oreille.

Un dernier câlin et Frank reposa son fils par terre. Michael se contenta de le regarder puis, tel Salomon le sage, il rejoignit ses copains.

Frank redressa la nuque à l'approche de Sharon.

— Je regrette, murmura-t-il. Je suis vraiment désolé.

— Je ne suis pas certaine que ce soit suffisant.

Évidemment, mais que dire de plus ? Se confier à elle ? Lui expliquer à quoi cet enfer ressemblait ? Lui décrire le pouvoir étrange que Rebecca détenait sur lui ?

Lui dire qu'il ne reverrait jamais plus cette fille ?

Impossible, bien sûr, impossible de lui certifier ce dont il n'était pas sûr lui-même. La volonté anéantie, l'âme prise dans les serres d'une créature à laquelle il n'accorderait jamais totalement sa confiance... Il la voulait, voilà la seule certitude. Mais comment expliquer une pareille aberration ?

La souffrance que trahissait le visage de Sharon le poignardait en plein cœur. Il tourna les talons et vit Michael et Joey. Les enfants suivaient la scène. Aucune équivoque possible sur les inquiétudes qui taraudaient son fils.

— Au moins, ils se parlent, commenta Michael à l'intention de son copain Joey.

Mais Joey ne s'en laissait pas conter :

— Dans ce cas-là, c'est encore pire.

Le visage de Michael se durcit.

— Des fois, tu te trompes, Joey. Regarde un peu ! Ils se tiennent par la main !

Frank venait de prendre la main de Sharon qui ne la lui retira pas tout de suite.

Michael donna un coup de pied dans le vide.

— Pourquoi tu t'énerves ?

Ravalant ses larmes, Michael :

— Ça risque de s'arranger.

— Pas la peine de bloquer ta respiration, comme ça !

— Oh ! la ferme ! lui lança Michael et, sur une bourrade à Joey, il courut rejoindre ses parents.

Frank s'effondra sur le divan de son bureau et s'endormit tout habillé en oubliant de tirer les rideaux. Cette fois, ce fut le soleil qui le réveilla à 7 heures du matin. Il se dressa sur son séant. Aussitôt, ses reins protestèrent : le divan était plus mou que son lit, et le manque de sommier rigide se faisait sentir.

Une main mystérieuse avait porté ses vêtements chez le teinturier. Il trouva donc chemise, costume, chaussettes et sous-vêtements propres bien rangés dans la penderie du cabinet de toilette. Il remercia mentalement son bienfaiteur anonyme pour sa sollicitude et fit une toilette de chat dans le lavabo.

Un bon rasage, un shampooing, et il se sentit presque refait à neuf. Du moins à l'extérieur. Il mit les serviettes humides à sécher sur des crochets, glissa son costume fripé et ses vêtements sales dans un sac en plastique pour enfiler enfin ce qui sortait du pressing.

Il pensait à Sharon, à son regard, lors de cet échange, devant l'école. Blessée comme elle l'était, Frank doutait qu'ils puissent jamais revivre ensemble. Il était tourmenté de remords d'autant plus violents qu'il restait impuissant à la soulager de sa souffrance. A tel point qu'il en aurait pleuré.

Il dénicha la machine à café et s'en filtra une pleine cafetière. Un *bagel* de la veille traînait dans un sachet en papier, il le dévora en attendant que le breuvage soit prêt. Puis, une tasse fumante à la main, il s'installa à son bureau directorial.

Le soleil lui chauffait délicieusement le dos pendant qu'il jetait quelques notes sur un bloc afin d'orchestrer son intervention au tribunal. C'était bien la seule chose qui le réchauffait d'ailleurs.

Selon son habitude, l'avocat relut ses commentaires concernant le passage à la barre de la veille. Il attribua une note de − 10 à + 10 à chaque réponse du témoin. Méthode subjective, c'est entendu, mais qui aidait quand même à suivre l'évolution de la situation. Après addition de tous les totaux depuis le début du procès, il atteignait + 13. Pas suffisant, et de loin.

Qui sait ? Peut-être que le témoignage de Rebecca à la barre lui vaudrait la victoire... Étant donné ses révélations de la veille... La manœuvre était néanmoins extrêmement risquée car il faudrait ensuite qu'elle se soumette à un contre-interrogatoire impitoyable de la part de Garrett. Le substitut n'hésiterait pas à le faire durer toute la journée, afin de mieux attaquer chacune de ses réponses sous tous les angles. Par conséquent Frank décida d'abréger le sien, d'empêcher Rebecca de trop parler, de l'empêcher de se condamner par ses propres aveux.

C'était une femme dotée d'une très forte volonté, qui n'hésitait pas à faire un pied de nez à la bonne société. Garrett ne l'ignorait pas non plus : il n'aurait aucun mal à lui soutirer des déclarations qui seraient autant de boîtes de Pandore emplies de tous les maux de la terre. Non, ce passage à la barre ne présageait rien de bon. Rebecca était prompte à la colère ; l'animosité qu'elle risquait d'exprimer se combinerait à l'image déjà présente dans l'esprit des jurés et lui porterait un coup fatal.

En revanche, les jurés ne peuvent se retenir de soupçonner un accusé qui refuse d'aller témoigner à la barre de son propre chef. Ils aiment regarder au fond des yeux celui ou celle dont on proclame l'innocence. Ils aiment se décider en jaugeant le regard de l'individu qui est mis sur la sellette. C'est la nature humaine qui veut ça.

Frank parcourut à nouveau ses notes. Treize points. Un chiffre qui porte malheur.

Les dés étaient jetés ! Il lui avait promis de la laisser témoigner. Il tiendrait sa parole. C'était sa vie à elle. N'était-ce pas légitime de la laisser elle-même mettre son avenir en jeu ? Oui, tout reposerait sur Rebecca.

Il lui restait à peine le temps d'avaler un petit déjeuner substantiel avant de courir au tribunal. En pénétrant dans la salle d'audience, flanqué de sa cliente, Frank chercha Sharon des yeux : personne ! Son cœur chavira.

Le greffier annonça :

— Mesdames et Messieurs, la Cour ! Le tribunal criminel du comté de Multnomah siège actuellement sous la présidence de l'honorable juge Mabel Burnham.

Le juge Burnham fit son entrée et gagna son siège.

— Veuillez appeler votre témoin, maître Dulaney, dit-elle sans plus attendre.

— La défense appelle Rebecca Carlson à la barre, Votre Honneur.

La chaise de la jeune femme racla très fort sur les dalles. Magnifique dans sa robe beige très simple, elle gagna la barre d'un pas assuré et se posta devant le siège pour prêter serment.

— Jurez-vous solennellement de dire la vérité, toute la vérité et rien que la vérité avec l'aide de Dieu ?

— Je le jure, dit-elle, la voix claire et même un peu chantante.

Elle s'assit, tête haute, braquant son regard sur le jury, auquel elle sourit avant de revenir à Frank.

Un silence sépulcral tomba sur le tribunal.

— Rebecca Carlson, j'aimerais que vous nous racontiez ce dont vous vous souvenez de la soirée du 8 avril dernier.

Lueur de souffrance dans le regard. Souffle suspendu... La sincérité jusqu'au bout des ongles. Elle était vraiment bonne.

— Après dîner, nous sommes rentrés de bonne heure. Andrew avait un rhume et je pensais simplement le mettre au lit et puis rentrer à la maison.

— Vous n'êtes pas repartie tout de suite, si ?

Elle s'affaissa imperceptiblement.

— Non. Il voulait faire l'amour. Ça m'en a donné envie. C'était un homme très physique.

— A soixante-trois ans ?

Elle se pencha, touchant presque le micro des lèvres.

— Il faisait ses huit kilomètres de marche à pied tous les jours. Même sous la pluie. C'est comme ça qu'il s'est enrhumé. Andrew n'avait absolument rien d'un vieux monsieur fragile.

— Peut-on dire que vous l'aimiez ?

— Oui, énormément, acquiesça-t-elle avec émotion.

— Dans ce cas, pourquoi ne vouliez-vous pas l'épouser ?

C'est à dessein que Frank bombardait Rebecca de questions féroces. Il l'avait prévenue. Ainsi, ses réponses émousseraient le contre-interrogatoire de Garrett. Si c'était Frank qui flagellait sa cliente, Garrett ne passerait plus que pour une brute, ce qui, par un mouvement de balancier, ramènerait la compassion des jurés sur Rebecca.

— Je ne l'ai pas épousé parce que le mariage, avec lui, ça ne durait jamais, avoua-t-elle en réprimant un sanglot. Moi je voulais que ça dure.

Frank laissa le temps à cette déclaration de faire son chemin puis :

— Vous avez entendu ce qu'a déclaré le médecin légiste à propos de votre utilisation des menottes ?

— Oui, souffla-t-elle, les yeux baissés, fort gênée.

— Que faisaient-elles dans la maison ?

Simultanément, Frank observait Garrett : plutôt interloqué, le substitut, de voir que son adversaire lui mâchait le travail !

— Andrew les avait achetées à l'occasion de la Saint-Valentin, dit-elle, soudain craintive.

— Pour que vous les lui passiez pendant les rapports ?

— Oui. Andrew aimait. Lui qui exerçait constamment le pouvoir dans sa vie, au travail... Au lit, il aimait que ce soit l'autre qui ait le dessus. Il s'agissait d'un petit jeu.

La salle se mit à rire, on échangeait des coups de coude, on se régalait d'un tel témoignage, on s'amusait comme des petits fous. Pas le juge. Son marteau s'écrasa sur la table et elle gronda :

— Prenez garde... Je n'hésiterai pas à faire évacuer la salle.

Le silence retomba aussitôt. Nul ne tenait à manquer des aveux aussi émoustillants.

— M. Marsh a-t-il manifesté des signes qui auraient révélé ses ennuis cardiaques ? Respiration haletante, par exemple, pendant que vous faisiez l'amour ?

Elle secoua lentement la tête.

— Non, il était en forme... Il était vraiment heureux, ajouta-t-elle même avec mélancolie.

— Qu'avez-vous fait, après ?

— Je l'ai embrassé pour lui souhaiter une bonne nuit et je suis rentrée chez moi. A mon départ, il dormait déjà.

— Quand avez-vous appris sa mort ?

Rebecca eut un frisson. Elle se tapota le coin des yeux de son mouchoir blanc, reprit son souffle pour lâcher :

— Le lendemain. J'ai eu l'impression qu'une partie de moi-même venait de mourir.

Là encore, Frank attendit avant de rembrayer :

— Quand avez-vous appris que vous étiez pratiquement la légataire universelle d'Andrew ?

— C'est vous qui me l'avez annoncé, maître.

Garrett était toujours aussi perplexe.

— Merci, Rebecca, je n'ai plus de question. Le témoin est à vous, monsieur le substitut.

Frank restait là, immobile, à la contempler,

saisi de peur à l'idée qu'il puisse lui arriver du mal, terrifié de ce que Garrett puisse la déchirer à belles dents. Il voulait la protéger, l'arracher au sort qui l'attendait.

Ce furent les paroles cinglantes du juge qui le ramenèrent à la vie :

— Allez-vous vous rasseoir, maître Dulaney ?

Frank releva la tête d'un seul coup. Il dévisagea le juge puis repartit à sa table. Au tour de Garrett de se dresser pour, après en avoir fait le tour, venir s'asseoir sur le bord de sa table.

— Ce ne sont pas tant vos relations avec Andrew Marsh qui m'intéressent... Vous en avez clarifié la nature avec force détails... Ce seraient plutôt vos relations avec Jeffrey Roston et le Dr Alan Paley. Combien de temps après la fin de vos rendez-vous avec le Dr Paley avez-vous commencé à sortir avec M. Marsh, son patient ?

Elle ne se formalisa pas de cette question malveillante, répondant au contraire franchement :

— Quatre mois, environ...

— Quatre mois au cours desquels vous vous êtes acharnée à tomber systématiquement sur votre victime lors de vernissages, dans des galeries ou des musées.

— Objection ! lança Frank. Le substitut est en train de suggérer sa réponse au témoin.

— Absolument pas ! protesta Garrett. J'essaie de démontrer qu'il y a eu préméditation.

— En soufflant la réponse au témoin ?

Le juge Burnham agita le bras en direction des deux avocats et déclara :

— Objection retenue.

Rebecca n'attendit pas la question suivante : il lui fallait s'expliquer, donner sa version :

— Je n'avais même jamais entendu son nom avant de faire sa connaissance.

Frank ne parvint pas à capter son regard.

— Vous n'aviez même pas vu sa photo dans les journaux ? s'étonna Garrett.

— Je ne lis pas la presse.

— Affirmerez-vous sous le sceau du serment que c'est par pure coïncidence que vous avez fréquenté à la fois Andrew Marsh — mort d'avoir combiné sexe et drogue —, mais aussi le médecin qui l'avait soigné à la suite d'un malaise dû à la drogue ?

Rebecca lui adressa un de ses sourires au ralenti. Effaré, Frank se rendit compte qu'elle ne prenait l'interrogatoire que comme un autre de ses petits jeux. Ce n'était pas pour défendre sa cause mais pour jouer, tout simplement, qu'elle avait voulu aller à la barre !

Jouer avec le pouvoir. D'abord par le sexe, ensuite en jetant sa vie privée en pâture au public. Toujours avoir l'avantage. Rebecca était persuadée de parvenir à contrôler tout le monde, y compris un substitut chevronné doté de facultés intellectuelles très aiguisées. Elle voulait vivre dangereusement. En permanence.

— Portland est une petite ville. Il se trouve même que je suis sortie avec un homme qui fréquentait une de vos conquêtes à vous, maître.

Le visage de Garrett s'empourpra sous l'effet de la colère.

— Je ne suis pas au courant, grogna-t-il.

Il la voyait telle qu'elle était et le tableau ne lui plaisait guère. Ses réponses de morveuse lui tapaient sur les nerfs, la façon cavalière dont elle traitait les convenances aussi. Pire encore : il ne supportait pas qu'elle essaie de contrarier le cours de la justice.

Elle avait liquidé Marsh. Garrett l'intuitif l'avait deviné depuis le début. Mais il fallait compter avec sa ruse, ses talents de manipulatrice, son inventivité. Il suffisait de regarder ce pauvre Frank, qui ne savait plus où il en était. Sa cliente l'avait décérébré ; qui sait même si elle n'avait pas fait l'amour comme une bête avec lui ? Sinon, pourquoi cette scène de ménage, derrière le café-galerie de sa femme Sharon ?

Mais lui, Garrett, non, elle n'aurait pas sa peau, pas au tribunal devant ce déploiement de journalistes sans précédent à Portland. Pas question. Garrett éleva la main et le juge hocha la tête en signe d'approbation.

Mabel Burnham se pencha vers Rebecca.

— Pensez-vous que vous serez capable de ne répondre qu'aux questions qui vous sont posées, sans y aller d'un petit laïus ?

« Épouvantable », songea Frank. Il avait commencé par flageller sa cliente ; Garrett avait poursuivi en la persécutant ; jusqu'au juge qui la rabrouait : Rebecca devenait antipathique au possible. Elle paraissait arrogante et emplie d'ardeur combative. Contrairement à son plan, le jury la voyait à présent sous un éclairage infiniment trop défavorable. Frank faillit même pousser un gémissement en l'entendant harponner le juge d'un :

— On me juge pour meurtre, Votre Honneur. Je m'efforce donc de m'expliquer.

Frank regarda le banc des jurés. Ce qu'il y vit ne lui plut guère. Le juge avait-elle remarqué la même chose ? Toujours est-il qu'au lieu de remettre Rebecca à sa place, elle laissa filer et ordonna à Garrett de poursuivre le contre-interrogatoire.

— Le soir où M. Marsh est mort, avez-vous visionné un film pornographique qui vous montrait tous deux à l'œuvre ?

— Objection ! l'interrompit Frank. Description tendancieuse.

— Une vidéo explicite, rectifia Garrett sans attendre.

Les lèvres de Rebecca s'incurvèrent en un petit sourire.

— Andrew disait toujours qu'il ne sert à rien de regarder des inconnus quand on a la possibilité de regarder des amis à l'œuvre.

Du jury partit un rire sonore. Aussitôt

réprimé. Le juge balaya le banc des jurés d'un regard incendiaire et fit signe à Garrett de poursuivre. Le substitut leva bien haut la vidéo qui se trouvait sur sa table.

— Puisque, d'après votre déposition, vous aviez fini de faire l'amour et que M. Marsh s'était endormi, pourquoi la police a-t-elle trouvé le magnétoscope encore en marche ?

— Parce que j'avais oublié de l'éteindre avant de partir.

— Parce qu'Andrew Marsh était déjà mort, hein ? Et que vous aviez hâte de lui tirer votre révérence ?

— Objection ! Même lors d'un contre-interrogatoire, il est interdit de suggérer sa réponse au témoin.

— Objection accordée.

Garrett braqua un regard chargé de haine sur Frank puis il demanda à Rebecca :

— Avez-vous jamais, au cours de vos voyages divers et variés, touché à la cocaïne ?

— Oui.

— Vous savez comment vous en procurer, non ?

— Je n'ai jamais essayé.

— Répondez à la question ! lui intima-t-il, rouge de colère.

Les prunelles de Rebecca lancèrent des éclairs de fureur.

— Non, je ne sais pas comment m'en procurer à Portland.

— Même des lycéens sauraient où en trouver.

Là encore, il y avait conversation avec le témoin. Le juge n'eut pas le temps de l'empêcher de hurler :

— Et vous, vous me dites que vous ne savez pas ?

— Non seulement on suggère la réponse au témoin, mais en plus on la donne ! protesta Frank.

Rebecca écumait d'une rage impuissante. Le juge donna l'ordre à Garrett de poursuivre puisqu'il avait atteint son but.

— Votre Honneur, pour le dossier, je souhaiterais que mon objection soit enregistrée, demanda Frank.

— Objection accordée, fit le juge, de fort mauvaise humeur.

— Je demande qu'on retire du dossier les commentaires du substitut, ajouta Frank à la hâte.

— Soit. Que les jurés veuillent bien ne tenir aucun compte des commentaires de Me Garrett qui sont oiseux et donc déplacés. Le témoin a répondu qu'elle ne savait comment se procurer de la cocaïne à Portland et c'est cette réponse qui sera retenue... Monsieur le substitut, poursuivez. Vous soumettez ma patience à rude épreuve.

— Bien, Votre Honneur.

Frank se rassit, tout content. Rebecca reprit

longuement son souffle et se mit sur ses gardes. Rouge de colère, Garrett reprit :

— Vous avez déclaré avoir passé les menottes à Andrew Marsh avant de faire l'amour, la nuit de sa mort...

— C'était pendant, pas avant de le faire, précisa tout tranquillement la jeune femme.

— Rectification. Merci, cracha Garrett. (Ses yeux lui sortaient presque de la tête, on aurait juré qu'il mourait d'envie de l'étrangler, cette fille exaspérante.)

— Vous êtes-vous livrée avec la victime à d'autres jeux de domination ? L'avez-vous battu, par exemple ?

— Les particularités de la relation entre la victime et ma cliente n'ont aucun rapport avec les charges qui pèsent contre elle, déclara Frank, sans prendre la peine de se dresser.

— L'accusation éprouve un intérêt justifié pour les sévices en tous genres qui se sont soldés par la mort de la victime, contra Garrett.

Le juge se tourna vers Rebecca :

— Répondez à la question, miss Carlson, et succinctement, je vous prie.

Rebecca fit oui de la tête.

— Jamais je ne lui ai fait de mal.

— L'avez-vous humilié ?

— Non ! Je ne l'ai pas humilié. Il s'est pris au jeu.

— N'est-ce pas le genre de raisonnement que tient un mari qui bat sa femme ?

A nouveau, il déviait. Frank le signala. Le juge Burnham montrait un énervement croissant et lorsqu'elle signifia aux deux avocats d'approcher, il s'attendit à ce qu'elle remette Garrett à sa place. Il ne fut pas déçu :

— Je n'ai pas sélectionné les jurés pour les gratifier d'un cours d'éducation sexuelle. Si vous comptez faire défiler dans votre contre-interrogatoire toutes les rubriques figurant dans le Manuel des pratiques sexuelles, abrégez.

Tous deux furent renvoyés à leur place. Garrett, d'une humeur exécrable, n'en démordrait pas. Il était déterminé à démolir les mensonges de Rebecca et juge ou pas juge, même si ça prenait la semaine, il y parviendrait. Il voyait en Rebecca une tueuse des plus cruelles, une intrigante dépourvue de sentiments et il la voulait derrière les barreaux.

— Vous avez un faible pour les riches messieurs d'un certain âge qui souffrent de troubles cardiaques, pas vrai, miss Carlson ?

Menton agressif, elle répliqua :

— J'aime les hommes sûrs d'eux, qui n'ont pas peur de se lancer dans certaines expériences. Ils sont généralement d'âge mûr. Et les gens que je fréquente ont généralement de l'argent, même si je ne vais pas jusqu'à leur demander le détail de leur compte en banque.

Réponse trop pleine d'arrogance. Réponse malheureuse qui venait à un moment inopportun. Elle se montrait maintenant sous un aspect froid et dur, calculateur même. L'orgueil l'emportait, attisant son désir de rabattre son caquet à Garrett devant tout le monde. Elle ne se rendait pas compte de l'impact que son comportement avait sur le jury.

Par contre Frank s'en rendait parfaitement compte. Il en était assommé. Impossible de lui venir en aide, désormais. C'est elle qui l'avait voulu ; elle faisait cavalier seul.

— Les cardiaques d'âge mûr qui vous couchent sur leur testament...

Frank surprit le regard du juge et annonça :

— Remarque oiseuse.

— Objection retenue.

Garrett n'en resterait pas là. Objections retenues ou pas. Une ardeur belliqueuse maintenant irrépressible le taraudait.

— Sommes-nous censés croire que Jeffrey Roston constitue lui aussi une pure coïncidence ?

— Ils n'ont aucun rapport.

— Ma foi... Tous deux étaient cardiaques, non ? Tous deux vous ont légué une somme rondelette.

Rebecca jeta un coup d'œil à Frank... Il était écrasé sur son siège. On eût juré qu'elle s'efforçait de lui dire de se décontracter, qu'elle savait où elle voulait en venir.

— J'ai déjà déclaré que je n'étais pas au courant des ennuis cardiaques d'Andrew.

— Vous étiez quand même au courant, pour Roston.

— Oui.

— Et faute de parvenir à provoquer la crise cardiaque fatale avant qu'il se fasse faire un double pontage, vous avez filé ! Il ne vous servait plus à rien. Je me trompe ?

Rebecca hésita. Elle se tamponna les paupières à nouveau pour s'affaisser comme un ballon de baudruche dégonflé. D'une toute petite voix :

— Je l'ai quitté parce que je l'ai trouvé au lit avec quelqu'un d'autre.

Cet aveu ne parut pas impressionner Garrett. Les jurés, de leur côté, eurent l'air de retenir. Ils se redressèrent nettement ; leurs traits s'adoucirent.

— Était-ce suffisant pour l'abandonner ? Une femme aussi libérée sexuellement que vous ? railla Garrett.

— Je ne pouvais plus soutenir la concurrence, dit-elle doucement.

Cela déchaîna les ricanements de Garrett :

— Incapable de soutenir la concurrence ? Allons... Que pouvait-elle bien faire, l'autre ? Jouait-elle du rasoir ?

C'est alors qu'elle lui porta l'estocade. Faisant appel à tout ce qui lui restait de dignité, se penchant en avant, le regard légèrement embué, Rebecca avoua :

— Je l'ai trouvé au lit avec un homme.

Des chuchotements s'élevèrent dans la salle.

Garrett, lui, en resta muet. Frank également. C'était du grand théâtre. Un triomphe. Même après six mois de répétitions, Frank n'aurait pu la faire mieux jouer son rôle. Le talent de cette femme le terrifiait. Et elle n'en avait pas terminé, encore. Avec calme et grande dignité, elle poursuivit :

— Je ne le savais pas... Je me suis sentie... trahie. Je ne savais pas comment... prendre la situation. Je me suis sentie atrocement rejetée. Et je l'ai quitté. C'était le mieux pour lui et pour moi.

— M. Roston n'est pas là pour se défendre. Vous avez le champ libre pour dire ce que vous voulez à son propos ! glapit Garrett.

Ce qui ne perturba pas le calme de Rebecca.

— Il lui était plus facile de croire que je le quittais pour une question d'argent. En réalité, je suis partie parce qu'il m'était totalement impossible de rester.

Le regard qu'elle lança à Frank réussit à forer le mur de haine dont il se protégeait désormais. Elle lui parut à nouveau vulnérable : la femme incomprise qui a ses points forts et ses faiblesses, une forme de dignité bien à elle. Une dignité que l'on ne comprend pas toujours : celle de toutes les minorités qui endurent le mépris des autres à cause de leurs croyances, de leur handicap, de leur couleur... Celle des marginaux, de ceux qui ne suivent pas le courant majoritaire. En un mot, la dignité des opprimés.

Rebecca était de ceux-là, songea Frank. Et il la crut.

Garrett, lui, capitula. L'adversaire était trop coriace. Il en avait assez de la rendre toujours plus sympathique.

— Je n'ai plus de question, annonça-t-il et il creusa légèrement les épaules, comme vidé de sa combativité.

— Des éléments à rajouter, maître Dulaney ?

Frank quitta son siège. Comment faire mieux qu'elle ? Souriant à Rebecca, il déclara :

— Plaise au tribunal d'adopter mes conclusions.

— Fort bien. Dans ce cas, nous aurons les plaidoiries demain.

Et le marteau du juge s'abattit. La horde des reporters s'égailla vers les téléphones et autres liaisons télécom.

Un tonnerre de voix s'éleva dans la salle. Tout en sortant à la queue leu leu, la moitié des membres du jury observèrent Rebecca, le visage empreint de compassion. Les spectateurs spéculaient à voix haute sur le verdict qui allait tomber de leur bouche.

Garrett écarta sa chaise, jeta brutalement ses dossiers dans sa serviette et sortit tel un ouragan, rouge d'une colère qui disait bien son nom.

Frank observait Rebecca qui, avec une assurance suprême, se regardait dans son poudrier de poche afin de vérifier l'état de son maquillage.

— Remarquablement bien joué !

Elle lui fit un sourire.

— C'est vous qui avez été éblouissant.

A sa voix, il sentit des frissons lui caresser les flancs.

11

Biggs finit par se trahir lui-même. Frank le vit traverser le bureau qu'il croyait désert sur la pointe des pieds, chargé de son costume sorti du pressing et d'un paquet de linge propre sous film plastique. Il glissa les vêtements le plus discrètement possible dans la penderie du cabinet de toilette.

L'avocat qui était assis à son bureau se leva et le rejoignit.

— Ainsi c'était vous, mon ange gardien ! claironna-t-il en pénétrant dans le réduit.

Biggs se contenta de hausser les épaules.

— Vous aviez besoin d'un petit coup de main, patron. Avec tous vos soucis, vous risquiez d'oublier de passer chez la blanchisseuse !

— Merci du fond du cœur, Charlie.

— C'est pas grand-chose. Par contre, si vous envisagez de passer toutes les nuits au bureau, il faudrait penser à investir dans un canapé convertible. Vous vous relevez de ce divan un peu plus tordu chaque matin. Continuez à y dormir et vous allez vous bousiller la colonne vertébrale. Vous risquez même la hernie discale. Avant tout dans la vie, ce dont on a besoin, c'est d'un bon matelas.

Frank s'accota au mur et éclata de rire.

— Alors le secret de la vie, c'est ça : un bon matelas ?

Biggs ajouta, le visage grave :

— Un bon matelas et l'amour d'une femme bien. Le type qui n'a pas au moins l'un des deux, c'est qu'il file un mauvais coton.

Les traits de Frank s'affaissèrent. Un peu gêné, Biggs :

— Désolé, patron, ça ne me regardait pas.

— Bah... Ce n'est plus un secret pour grand monde.

— Ça c'est bien vrai.

— Vous avez déjà dîné, Charlie ?

— Non, pas encore.

— Ça vous tenterait de venir manger un morceau avec moi ?

Le sourire étincelant du détective lui répondit.

Ils allèrent dîner chez Digger O'Dells, dans la vieille ville. Tous deux commandèrent un filet de bœuf au bleu et une bière qu'ils sirotèrent en attendant.

— J'ai tout fichu en l'air, Charlie.

— Ne vous sentez pas obligé de tout me raconter, patron, allez.

— Je vous en parle à vous parce que je sais que ces confidences resteront entre nous, soupira Frank. Arrêtez-moi si ça vous met mal à l'aise.

Biggs gardait le silence.

— Ça vous gêne, pas vrai ?

Le détective baissa les yeux et avoua :

— Je le sais déjà, ce qui s'est passé. Vu ma profession, patron...

— Vous nous avez vus ?

Charlie se mit à rire.

— Ce n'est pas ça que je voulais dire. Je n'ai rien vu, non. Simplement, ça se voit gros comme le nez au milieu de la figure. Bon, d'accord, je m'explique : cette femme, c'est un sacré morceau, inutile de raconter le contraire. Et vous, vous n'êtes pas du genre à pouvoir cacher longtemps un secret à votre épouse. Conclusion : Sharon a découvert le pot aux roses et elle vous a mis à la porte... Un conseil, patron, dit Biggs en se penchant vers lui. Surtout, ne pas lâcher prise. N'allez pas croire que votre histoire est finie. Accordez à votre ménage le même type d'attention que vous accordez à la clientèle et vous arrangerez la sauce.

— Vous êtes un malin, hein, Charlie ? dit Frank, rasséréné.

— Hé, c'est qu'un détective, il ne faut pas

qu'il ait les yeux dans sa poche ! On doit être capable de décrypter les visages, de deviner si les gens nous mentent quand ils ont une idée derrière la tête. Vous, votre visage, on le lit à livre ouvert. Pas besoin d'être un génie.

— Je vous crois.

— Et vous connaissant, si vous ne vous dépêchez pas de manger pour aller travailler votre plaidoirie, vous serez obligé de veiller toute la nuit. Ça non plus, ce ne serait pas une solution. On n'a jamais vraiment la frite, après une nuit blanche.

— Merci, Charlie.

— Je me trompe ?

— Non.

— Bon. Dans ce cas, pourquoi ne pas vous offrir une chambre à l'hôtel pour y faire une bonne nuit de sommeil ?

— Dites, Charlie, vous avez combien d'enfants ? demanda Frank en souriant à son détective.

— Six.

— Tout s'explique !

Et ils rirent de bon cœur.

Frank suivit le conseil. Au matin, il se sentit frais et dispos. Il prit enfin une vraie douche, ce qui ne lui était pas arrivé depuis des jours, se lava la tête et se sécha les cheveux au séchoir puis se brossa les dents jusqu'à se les rendre étincelantes.

Son costume rayé bleu marine sortait de chez le teinturier; la chemise blanche que lui avait achetée Biggs était parfaitement à sa taille. Cravate du pouvoir rouge bien en place, chaussures cirées avec soin, et Me Frank Dulaney était prêt à affronter le tribunal.

S'il se sentait sûr de l'issue du procès, en revanche c'est sa propre culpabilité qui lc tourmentait, réclamant constamment son attention. Sa main était agitée d'un tremblement ininterrompu, à tel point qu'il se surprenait à la fourrer dans sa poche afin que nul ne le remarque. Un état de tension permanent finit par vous miner physiquement aussi bien que moralement.

Frank avait le regard plus tendu qu'à l'ordinaire et des poches sous les yeux. Il avait vieilli de cinq ans en l'espace de quelques jours, à cause de ce conflit qui le rongeait sans relâche.

En tant qu'avocat, il conservait une bonne opinion de ses talents; en tant qu'homme, il se considérait presque comme un zéro et quand il se trouvait seul, le sentiment de sa propre nullité se reflétait sur ses traits. Il se promit de se surveiller: jamais les jurés ne devraient s'en rendre compte.

Lorsqu'il prit place à côté de Rebecca, à la table de la défense, ce fut dans un état d'esprit différent. Il avait toujours crié haut et fort l'innocence de sa cliente — du moins aux autres. Mais désormais, il y croyait dur comme fer, et cette intime conviction s'exprimait dans tout son comportement. Ce qui s'était passé entre Rebecca et lui restait du domaine privé ; rien à voir avec le procès. Et comme il devait à sa cliente de se consacrer entièrement à défendre sa cause, il était déterminé à payer sa dette.

Rebecca avait peur, c'était évident. Frank en eut le cœur chaviré. Bien qu'à nouveau vêtue de façon saisissante, elle avait dans le regard cette même crainte, cette même indécision que cinq mois auparavant, quand Frank l'avait sortie de prison en lui avançant sa caution.

Il y avait des années de ça... Tant d'eau avait coulé sous les ponts...

Le passage à la barre de Rebecca, la veille, leur avait été formidablement bénéfique, mais Frank aurait juré qu'au fond d'elle-même, la jeune femme était en train de perdre confiance. Après s'être donnée à fond dans un jeu dont elle avait paru se délecter à chaque instant, elle semblait douter de la victoire.

Désormais, seules les plaidoiries la séparaient du verdict qui reposait entièrement entre les mains des jurés, véritables maîtres de son avenir. Frank avait presque l'impression d'entendre Rebecca penser : les jurés l'avaient-ils crue ? La considéraient-ils au contraire comme une traînée ? Pire encore : la considéraient-ils comme coupable du meurtre d'Andrew Marsh ? Cette question-là, c'était la plus cruciale. Il lui effleura la main :

— On va gagner, Rebecca.

Le sourire qu'elle afficha devait tout à son courage.

— J'ai confiance en vous, Frank.

Dans leur dos, le public jacassait pour se calmer les nerfs en attendant qu'on lui ordonne le silence. Les journalistes griffonnaient déjà fébrilement. On en entendait certains s'agiter sur leur banc, battre le sol du pied ou pianoter du bout des doigts. Sans oublier de s'activer de la langue. La vaste salle renvoyait l'écho amplifié de ces conversations ininterrompues.

Enfin le greffier se dressa pour faire annoncer la cour. Cela mit fin aux caquetages. Il y eut un froissement de tissu et un raclement de chaises général. L'une des spectatrices s'était noué un foulard jusqu'aux yeux et malgré les lunettes noires, on n'eut aucun mal à reconnaître Joanne Braslow. Deux bancs derrière elle se tenait Sharon Dulaney, calme et silencieuse. Quand le juge Burnham prit place sur son siège, elle s'assit, sans quitter son mari des yeux.

Mais Frank était bien trop occupé par le bloc-notes placé devant lui pour remarquer l'une ou l'autre.

Quand tous furent assis, le bruit se dissipa jusqu'au silence absolu.

— Vous pouvez commencer, maître Dulaney.

Frank se dirigea à pas lents vers le banc des jurés devant lequel il se planta. Il se sentait revivre d'une énergie nouvelle. Il avait le trac : bon signe !

— Mesdames et messieurs les jurés, le dossier de l'accusation était bâti sur du sable. Où sont les faits ? Où sont les preuves ? Qu'est-ce qui relie Rebecca Carlson à la mort d'Andrew Marsh si ce n'est l'imagination du substitut du district attorney ?

Il éleva les bras au ciel pour accentuer l'effet de sa réponse :

— Rien. Absolument rien. Le seul fait qu'il a réussi à établir sans qu'il y ait le moindre doute c'est que l'accusée et la victime aimaient tous deux faire l'amour de façon non conformiste. Et ces goûts, mesdames et messieurs les jurés, ne constituent pas un délit dans l'Oregon.

Il attendit un instant, affable, avant de poursuivre :

— Pourtant, Mᵉ Garrett voudrait vous faire croire que si Rebecca a été capable de sortir des sentiers battus d'une sexualité conventionnelle, c'est que c'est une criminelle !

Ponctuant de la tête pour bien souligner l'erreur fatale commise par Garrett, Frank regarda ensuite chacun des jurés droit dans les yeux.

— Rebecca Carlson n'a pas forcé Andrew Marsh à lui faire l'amour. C'est lui qui se félicitait de la chance qu'il avait. Regardez-la ! lança-t-il en pivotant pour désigner l'accusée.

Il montra du doigt cette jeune femme aux

mains sagement croisées sur les cuisses et dont le visage exprimait un calme qui démentait l'ouragan qui se déchaînait en elle.

La blondeur lisse de ses beaux cheveux mi-longs formait un vibrant contraste avec le bleu nuit de la robe. Sur les consignes de son avocat, elle promena son regard profond sur chacun des jurés. Elle rayonnait de sérénité, comme pour mieux leur dire que son désir, c'était de remettre sa vie entre leurs mains expertes.

— La nature humaine fait que si le désir a son objet, il a aussi son heure. Il nous frappe parfois de plein fouet. Nous agissons alors sans songer aux conséquences. A l'heure du désir, on oublie l'avenir.

On ne pouvait parler plus vrai : les propos de Frank étaient marqués du sceau de sa propre expérience.

— Andrew Marsh n'a pas parlé à Rebecca de sa maladie de peur de la perdre. C'était sa vie à lui, c'est lui qui a fait ce choix. Et finalement cette erreur. Il était... consumé par la passion, par ce feu intérieur qui le dévorait, et qu'il a laissé brûler.

Il reprit son souffle.

— Andrew Marsh connaissait les risques encourus. Il est mort en obéissant totalement à son libre arbitre.

Il se détourna du banc des jurés suspendus à ses lèvres, fit deux pas et puis se posta de nouveau face à eux.

— Lorsque vous délibérerez, veuillez vous souvenir des consignes les plus chargées de sens du système pénal des États-Unis. Souvenez-vous que l'accusé est supposé innocent jusqu'à la dernière minute. Je sais que vous accomplirez votre devoir en toute sincérité et que, s'il demeure un doute bien fondé, vous déclarerez Rebecca Carlson... non coupable.

Tout en regagnant sa place, Frank aperçut Sharon. Au milieu de la foule des spectateurs, elle lui souriait, le félicitant par un petit sourire désabusé. Le cœur lui manqua. Un violent espoir l'envahit tout entier.

Elle n'avait plus cette haine au fond des yeux. Serait-elle prête à pardonner ?

Frank aurait donné sa vie pour pouvoir le croire.

Maintenant, c'était au tour de Garrett de plaider. Le substitut donna dans la lenteur pour se lever, boutonner son veston et s'avancer vers les jurés.

Il les remercia d'avoir suivi le procès avec une telle attention. Il les flatta, les félicita de s'être comportés en citoyens responsables, dévoués à leur tâche. Puis, d'une voix vibrante de sincérité :

— Andrew Marsh a été séduit, a été assassiné par une femme qui a cru pouvoir maquiller son crime en mort naturelle.

Comme Frank, il secoua tristement la tête.

— Eh bien elle se trompe. Le sexe et la drogue ne sont pas des façons naturelles de mourir, mesdames et messieurs. Pas quand il y a préméditation... Rebecca Carlson ne pensait qu'à une chose : provoquer la crise cardiaque qui coûterait la vie à M. Marsh ! Car il y avait dix millions de dollars en jeu.

Il les laissa digérer l'information. Ensuite, modulant sa voix en un crescendo :

— Elle savait très bien qu'Andrew Marsh présentait une intolérance à la cocaïne puisqu'elle est sortie avec le médecin qui l'avait soigné pour ce problème. Restait simplement à en remplir le vaporisateur nasal et à déployer toute sa batterie de techniques sexuelles.

On eût dit que sa main hachait menu le vide quand il ajouta :

— Andrew Marsh n'avait aucune chance d'en réchapper. Le jour où il a fait de Rebecca Carlson sa légataire universelle, il a signé son arrêt de mort.

Il hochait maintenant lentement la tête, croisait les bras et faisait les cent pas devant le banc des jurés. Pour mieux jouer avec les nerfs de l'assistance.

Puis ses bras retombèrent et il se plaça devant le drapeau américain pour tendre le doigt vers cet emblème et scander :

— Sachez que je crois en notre justice... tout autant que je respecte les douze citoyens qui, en leur âme et conscience, s'apprêtent à trancher seuls. Et je suis convaincu que les faits et les pièces à conviction produits ne laissent plus l'ombre d'un doute : l'accusée est bel et bien coupable.

Il agrippa la barre qui courait autour du banc des jurés et déclara avec passion :

— Lorsque vous serez de retour dans la salle, verdict en main, ce sera pour dire à Rebecca : « Non, vous ne serez pas acquittée de ce meurtre. Car le meurtre mérite châtiment. »

D'une voix veloutée, il conclut :

— Et ce crime sera par conséquent puni. J'en suis convaincu.

Tandis qu'il revenait s'asseoir, un murmure s'éleva.

Le juge Burnham donna ses instructions aux jurés avec gentillesse et concision. Elle leur rappela que selon la loi, ils devaient empêcher tout parti pris de leur fausser le jugement ; qu'il ne fallait retenir que les faits et les témoignages ; que pour condamner Rebecca Carlson, il fallait que sa culpabilité leur semble indubitable.

— Et si l'on vous a choisis pour siéger à ce banc, c'est pour évaluer le poids des preuves en faisant appel à la raison. Pour déclarer l'accusée coupable, il faudra que vous n'ayez plus aucune raison de douter de sa culpabilité. Au contraire, si vous doutez, il faudra déclarer l'accusée non coupable.

Quelques commentaires de plus et elle les envoya délibérer avant de se retirer elle-même après un coup de marteau. Le public resta avec ses incertitudes et ses interrogations. Les murmures reprirent. Personne ne quitta la salle.

Frank sentit la main de Rebecca se poser sur la sienne.

— Que faisons-nous maintenant ?

— On attend.

— Ici ?

— Bien sûr que oui. Du moins pendant les deux premières heures. Il faut aux jurés un bon moment pour savoir comment aboutir à un vote unanime. Si au bout de deux heures, on n'a toujours rien, on pourra aller dans une des salles réservées aux avocats. Il ne faut pas trop s'éloigner, afin de pouvoir réintégrer la salle en dix minutes.

— A votre avis, combien de temps mettront-ils à décider de mon sort ?

Frank haussa les épaules.

— Impossible à prévoir. Une heure au minimum ; des jours et des jours au maximum. Il peut même se trouver quelqu'un pour faire avorter les délibérations du jury en refusant de se conformer à la majorité.

— Et dans ce cas ? demanda-t-elle d'une voix suppliante.

— Et alors il faudrait rejuger l'affaire depuis le début.

Rebecca poussa un soupire exaspéré.

— Vous avez vu leurs visages puisque vous

vous trouviez tout près d'eux. Qu'en pensez-vous ?

— Il y a belle lurette que je me refuse à interpréter l'expression des gens. Il ne vous reste plus que la patience, Rebecca.

— Pas très réconfortant, de votre part, bougonna-t-elle.

Au bout d'un temps :

— Il faut que j'aille aux toilettes.

Plantée devant la glace murale des toilettes pour femmes, Sharon Dulaney s'étudiait d'un œil critique. Ces jours et ces nuits passés en pleurs et en tourments lui avaient valu quelques rides. Les nuits blanches, surtout, pendant lesquelles, seule dans le grand lit, elle cherchait à tâtons l'homme qui n'y était plus, l'homme qui l'avait trahie.

Refoulant ses larmes et chassant ces noires pensées, la jeune femme s'appliqua une noisette de crème hydro-tonique sur le visage avant de se refaire une beauté. Elle en était au rouge à lèvres quand elle entendit quelqu'un tirer la chasse. Rebecca sortit d'une des cabines.

L'accusée vint se laver les mains, sans cesser d'observer Sharon dans le miroir. Elle tira des serviettes en papier du distributeur dont elle s'essuya. Ensuite, elle se fit un peu bouffer les cheveux avant d'ouvrir son sac.

— Souhaitez-moi bonne chance ! lança-t-elle d'une voix enjouée.

Sharon lui flanqua une gifle si violente qu'elle envoya Rebecca valser contre le lavabo, ce qui manqua lui faire perdre l'équilibre. Toute rouge, les poings serrés, Sharon s'apprêtait à frapper encore.

Rebecca portait des vêtements coûteux. Mais dessous, il n'y avait rien qu'une pute à trois sous. Une criminelle, une malade, une dépravée. Ce qui faisait déjà lourd. Et en plus de ça, cette salope s'était mis en tête de lui briser son ménage en séduisant son mari. Et Sharon devinait fort bien pourquoi : Rebecca n'avait rien à faire de Frank ; elle s'en moquait comme d'une guigne. Ce qui l'intéressait, c'était d'avoir un avocat qui bave devant elle, un homme prêt à l'arracher à la prison par tous les moyens, pour pouvoir lui faire l'amour à volonté.

Eh bien non, Sharon n'était pas prête à capituler sans combattre. Si Frank réussissait à sauver cette peau bien usagée, cette fille aurait ensuite à l'affronter, elle. Sharon attendit donc. Mais comme Rebecca ne rendait pas le coup, elle tourna les talons pour sortir sans un mot des toilettes.

Rebecca la suivit du regard. Une fois seule, elle revint à la glace, se frotta la joue et s'adressa un large sourire. Dans son regard brillait une lueur d'exaltation.

Sortant un petit poudrier en argent, elle

s'appliqua de la poudre sur la marque laissée par la gifle.

Il ne fallut que trois heures au jury pour arriver au verdict. Lorsque la rumeur se répandit, tout le monde se rua vers la salle du tribunal dans laquelle étaient restés les principaux protagonistes, à savoir Garrett, sa stagiaire, Frank, Gabe et Rebecca.

Maîtres Garrett et Dulaney échangèrent des coups d'œil répétés. Le substitut souriait ; pas Frank. Il savait pertinemment que Garrett était tout aussi inquiet que lui, que le sourire, ce n'était que pour la galerie, pour ces dames du public. Garrett n'oubliait jamais ses effets, face aux dames.

Rebecca avait le regard élargi par la peur. Elle se cramponnait au bras de son avocat. Frank eut envie de s'écarter ; il ne le fit pas. C'était toujours sa cliente. L'heure de vérité approchait.

Ils assistèrent au retour des jurés qui réintégrèrent leur banc en silence. Trois hommes et une seule femme étudièrent Rebecca : c'était bon signe. Par contre, les huit autres qui évitaient de la voir, voilà qui ne présageait rien de bon. Personne ne souriait. Très mauvais. Sans compter qu'ils avaient fait vite. Trop vite pour que le verdict ait avorté. Ce n'était plus le trac qui lui tenaillait l'estomac, mais un véritable ulcère...

Le juge s'adressait maintenant au banc des jurés :

— Mesdames et messieurs les jurés, êtes-vous parvenus à un verdict dans l'affaire qui opposait l'accusation à Rebecca Carlson ?

Un homme se leva.

— Oui, Votre Honneur.

Il remit la feuille à l'huissier, qui la porta au juge Burnham. Le juge lut ce qui y était inscrit en gardant une impassibilité absolue et la rendit à l'huissier, qui la porta alors au greffier.

Rebecca était morte d'angoisse. Pour la calmer, Gabe lui tapota la main, s'attirant ainsi un regard empli de gratitude. Quant à Frank, il se frottait la tempe. Il avait un mal de chien à supporter cet effrayant suspens.

— Les jurés... commença le greffier... déclarent l'accusée... non coupable.

Un hurlement souleva la salle : ici on se félicitait de l'acquittement ; là on exprimait ouvertement son écœurement. Les journalistes prenaient leur élan pour atteindre plus vite les téléphones lorsqu'ils furent interrompus par un coup de marteau retentissant du juge.

— Silence, tonna Mabel Burnham.

A mesure que son corps tendu comme une corde se relâchait, Frank se sentait envahi par une sensation de vertige. Dans son dos, Gabe étreignait Rebecca.

— La cour remercie les jurés, entonnait le

juge. L'accusée est dégagée de sa caution, rendue à la liberté, et l'audience est levée.

Dernier coup de marteau. Une agitation fébrile s'empara à nouveau de l'assistance. Joanne sortit de la salle, très raide, non sans se faire bousculer par quelques-uns des reporters les plus brusques.

Tout était fini.

Frank s'assit, au bord de l'évanouissement, pris de tournis tant il était secoué. Il avait gagné. Il avait sauvé la tête de sa cliente ! L'avocat se frotta les yeux et puis, se souvenant brusquement de quelque chose, il se leva en tremblant pour scruter le flot des spectateurs, qui s'écoulait vers la sortie.

— Je vous l'avais bien dit ! claironna Rebecca.

Mais l'avocat ne réagit pas. Il cherchait Sharon. C'est à la porte qu'il l'aperçut. Elle aussi, elle l'observait. Elle l'attendait, même, et son cœur fit un bond dans sa poitrine. Il s'éloignait pour la rejoindre quand Rebecca le tira par la manche et, s'élançant, lui chuchota :

— Merci, Frank. Moi aussi, tu as failli me convaincre.

La terre s'arrêta de tourner.

Tout s'arrêta. Les bruits, les mouvements, son cœur. Le vide absolu, la solitude la plus totale. Il ne resta plus que ce regard, le regard d'une manipulatrice, d'une rusée crachée par l'enfer.

Frank en restait muet. Il ne respirait même plus. La créature jaillie des enfers lui souriait de son sourire d'assassin. Et voilà qu'elle repartait, s'engageant dans la travée centrale d'un pas de flâneuse. Après un coup d'œil à Sharon, elle sortit se livrer à l'appétit des caméras et des micros qui se tendaient vers elle.

Frank resta là, à attendre que la terre se remette à tourner. Ainsi, c'était donc elle. C'était Rebecca qui avait tué ce pauvre Andrew. Et en prime, elle avait si bien assimilé les ficelles du système judiciaire qu'elle avait battu la justice sur son propre terrain. Elle venait de régaler l'assistance d'un numéro digne des plus grands acteurs, digne d'un Oscar. Et à sa façon, encore, en faisant un pied de nez aux conventions, à la société, à tout le monde, Frank compris.

Me Dulaney se sentit souillé. Il eut honte de lui-même, de s'être laissé duper. Le sentiment de sa bêtise, de sa nullité le submergea.

Lentement, l'oxygène pénétra à nouveau ses poumons, les sons parvinrent à ses tympans, les odeurs lui chatouillèrent les narines. Il retrouvait l'usage de ses sens. Et notamment le sens de la honte.

Il s'avança vers Sharon. Gabe lui emboîta le pas en sautant presque de joie et il fallut que Biggs le retienne quand Frank arriva à la hauteur de son épouse. Il lui prit le bras et sortit avec elle.

La presse rassemblée autour de Rebecca était en adoration. Ils la cernaient et cette fois, elle s'en régalait. Plus question de fuir les journalistes. Elle jouissait pleinement de sa victoire, fière et droite, bombant le torse, tête haute, et dans son regard étincelait l'exaltation.

Elle jetait des bons mots à la volée, comme dans son propre *one woman show* et tous riaient, lapant ce qui tombait de sa bouche comme des bêtes assoiffées. Telle une star, elle s'épanouissait sous les puissants rayons d'une sinistre réputation, en laquelle elle ne voyait qu'une éclatante célébrité.

Frank et Sharon passèrent devant elle, sans la voir. On ne les remarqua même pas. Frank prit la main de sa femme. Leurs doigts s'enlacèrent.

— Je ne m'attendais pas à ce que tu reviennes, dit-il d'une voix douce, quêtant un regard.

— Jamais je n'ai manqué une de tes plaidoiries. Tu as fait merveille.

— Bien assez, oui, rétorqua-t-il, mâchoires crispées.

Devant l'ascenseur, il se pencha et, la prenant dans ses bras, il l'embrassa. Elle avait les lèvres sucrées, ce qui lui donna envie de pleurer. Dire qu'il avait failli la perdre... Michael aussi. Tout ça pour n'avoir pas su percer à jour Rebecca, constater qu'il n'avait devant lui qu'une façade montée de toutes pièces. Elle, en revanche, elle avait percé Frank à jour, pour mieux l'exploiter à plein.

Sa cervelle, il l'avait déposée à la consigne, pour mieux laisser penser son pénis. Il avait succombé à ce piège vieux comme le monde, prêt à renoncer à tout pour quelques instants de plaisir illicite avec une fille qui se moquait éperdument de son sort à lui.

Mais la femme qu'il étreignait en ce moment même, elle tenait à lui. Profondément. Elle l'avait toujours aimé. Et voilà qu'elle lui donnait encore une chance. Frank, qui ne la méritait pas, l'acceptait avec reconnaissance. A contrecœur, Sharon s'arracha à l'étreinte de son mari et, plongeant au fond de ses yeux le prévint :

— Elle est en train de nous espionner.

— C'est elle que ça regarde, répondit Frank avec conviction.

L'ascenseur arrivait. Frank poussa son épouse dans la cabine.

— Je te retrouve tout à l'heure, à ton café-galerie. Il me reste à signer des documents, récupérer la caution, enfin tu sais... la routine de fin de procès. Je me libère le plus vite possible. Je t'aime, Sharon.

Toujours indécise, Sharon parut troublée, mais les portes de l'ascenseur se refermèrent sans lui laisser le temps de répondre.

Frank se tourna vers Rebecca. Elle fixait sur lui ce même regard lourd d'admiration. L'avocat se détourna de cette femelle vénéneuse. De ce poison qui tue à tous les coups. Elle lui donnait des allergies. Surtout, éviter sa compagnie, par tous les moyens. Il avait appris la leçon à ses dépens.

Une fois réglées les formalités, Me Dulaney décida d'emprunter le grand escalier du palais de justice. Il n'y avait presque plus personne dans le hall, plus d'armée de reporters et en attendant qu'une nouvelle affaire vienne en troubler le silence majestueux, la fièvre avait disparu de ce grand édifice. Frank avait besoin d'une bouffée d'oxygène avant le café-galerie.

Tandis qu'il descendait les marches, il vit remuer quelque chose derrière un pilier de marbre. Il s'arrêta. Il y avait quelqu'un. Quelqu'un qu'il ne voyait pas encore mais dont il reconnut la voix.

— Vous êtes un excellent avocat, entendit-il dire à Joanne Braslow.

La secrétaire, qui le guettait, se détacha de son pilier et s'avança vers lui. Elle ressemblait maintenant à une morte vivante, avec son visage d'une pâleur spectrale souillé de maquillage, ses yeux bordés de rouge à force d'avoir pleuré. Le cheveu en bataille, habillée de travers, elle respirait avec peine.

— On peut dire que vous savez les vendre, vos mensonges! cracha-t-elle avec amertume. Maintenant, c'est sur moi que va peser l'accusation. Il ne reste plus que moi, comme suspecte.

300

Frank eut beau élever une main apaisante, rien ne semblait pouvoir l'interrompre :

— Elle savait très bien que vous verriez tout ce qu'il y avait à voir sur la vidéo. Que vous découvririez également que je prends de la cocaïne. Pour elle, j'étais la coupable idéale et c'est pour cette raison qu'elle l'a tué en utilisant de la cocaïne. Pour me piéger.

Oui, elle disait vrai. Si Rebecca en avait dupé pas mal, elle n'avait réussi à rien avec Joanne.

— Joanne...

— Je vous garantis qu'il ne s'agissait pas de racine de pivoine, s'acharna-t-elle, avançant droit sur lui. De la cocaïne pharmaceutique, voilà ce que c'était ! Et si je le sais, c'est que je lui en ai volé dans son sac pour ma consommation personnelle !

Frank aurait aimé lui dire qu'il la croyait sur parole mais non, il n'en avait pas le droit. Il était avocat. Il y a un code déontologique.

— C'était la plus pure que j'aie jamais reniflée, poursuivait la secrétaire dont le visage n'était plus qu'un rictus haineux. Je m'en fous si vous ne me croyez pas. N'empêche qu'elle a assassiné M. Marsh et que vous, vous l'avez aidée à s'en sortir.

Brutalement, une fois son sac vidé, sa rancœur n'eut plus de raison d'être. Ce n'était plus qu'une pauvre femme dévorée d'humiliation, anéantie. Elle s'affaissait à mesure que ses forces la quittaient. Frank était bien placé pour comprendre. Joanne s'éloignait déjà, en pleurs, presque aveuglée par les larmes. Il tendit une main compatissante et la prit par le coude, la rassurant :

— Allons.. Si je peux faire quelque chose...

Du haut de l'escalier, Bob Garrett, pétrifié de stupeur, les vit s'éloigner. Les yeux exorbités, fou de colère, il donna un coup de pied dans un pilier et se fourra les poings dans les poches. Il ne trouva que ce moyen pour se retenir de les étrangler.

Quelle imbécile ! Quelle abrutie, cette Joanne... Si elle avait dit la vérité dès le début, ils auraient empêché Rebecca de nuire une bonne fois pour toutes. Mais qu'est-ce qu'elles avaient, toutes, à mentir pareillement ? se demanda-t-il.

C'est entre chien et loup que Frank déboucha sur les quais. Il gara sa voiture le long du garde-fou et d'un bond, se retrouva dans l'air frais du soir. Un yacht de douze mètres de long descendait la rivière avec grâce, laissant dans son sillage des rubans d'écume blanche. Tout là-haut, des mouettes poussaient leur cri saccadé avant de piquer, rasant l'eau de l'aile, à la recherche de menu fretin.

Frank s'engagea d'un pas décidé sur le ponton qui conduisait à la péniche de Rebecca.

Il fallait le faire. Il fallait interdire à Rebecca

de reprendre contact avec lui et Sharon. Ce n'était qu'une aberration de la nature qui les avait jetés l'un vers l'autre, un accroc au droit-fil de sa vie telle qu'il la concevait. Plus question de risquer de perdre Sharon !

Arrivé devant la porte de la péniche, il la trouva verrouillée. Rien sous le paillasson ; rien non plus dans les pots de fleurs. La clé demeurait introuvable.

Il fit le tour et se retrouva sur le pont inférieur. La baie vitrée qui y donnait était restée ouverte ; les rideaux tirés s'agitaient sous la douce brise qui soufflait sur la rivière déjà noire. L'avocat les écarta pour se glisser dans une pièce plongée dans la pénombre. La voix de Rebecca s'élevait dans la cuisine, interrompue par un cliquetis de vaisselle. S'avançant discrètement, il l'entendit déclarer :

— C'est beaucoup mieux que la loterie. En plus, c'est exonéré d'impôts.

Il la vit alors, déguisée en parfaite petite ménagère, qui entrait et sortait de son champ de vision pour ranger les assiettes dans le placard de sa cuisine. Une voix d'homme lui répondit, vague murmure dont il ne put distinguer la source.

— Arrête un peu avec ta bon Dieu de carrière ! protestait Rebecca. Tu viens de te faire un million de dollars, mon vieux. Tu t'en doutais bien que ta carrière serait fichue, non ?

Elle s'apprêtait à pénétrer dans la pièce où

se cachait Frank, pour ranger ses verres dans le bar. L'avocat se coula discrètement dans un vaste fauteuil.

— C'est une fleur que je te fais, lança Rebecca, la tête toujours tournée vers son interlocuteur. On va vivre heureux pour toujours. Mais pas ensemble. Parce que si tu me traînes autour, ils vont t'accuser de parjure et de meurtre. Moi, je suis tirée d'affaire et ce n'est pas à moi qu'ils vont s'amuser à refaire un procès. Par contre, dans ton cas, c'est différent.

L'homme entra à cet instant dans la pièce noyée d'ombre. Frank devina immédiatement qu'il s'agissait d'Alan Paley.

— Mais je t'aime! protesta-t-il d'une voix dont le ton suppliant révélait qu'il était profondément blessé. J'ai fait ça dans le seul espoir de vivre avec toi.

Rebecca appuya sur l'interrupteur. Son regard tomba aussitôt sur l'avocat et elle se rejeta en arrière.

— Oh! Merde... Frank!

Paley la talonnait. Il stoppa brutalement, bouche bée. Frank ne bougeait pas ; seul son visage exprimait un violent dégoût.

— Et s'il nous avait entendus... s'inquiéta Paley.

— C'est mon avocat, le rassura Rebecca en l'apaisant du geste. Ça restera confidentiel.

C'est une fureur noire qui tordait maintenant les traits de Frank quand il fit d'une voix grinçante :

— Je t'aurais défendue tout aussi consciencieusement, crénom de nom !

— Il va me torpiller, gémissait Paley.

Mais ni Frank ni Rebecca ne lui prêtèrent attention tant ils s'empoignaient du regard, tels deux chiens enragés s'apprêtant à se sauter à la gorge.

— Probable. Mais tu n'aurais pas eu tes accents de vérité criante ! objecta-t-elle sans se démonter.

— Si je ne t'avais pas baisée ?

— Eh ! Ça marche.

Frappé d'horreur, Paley les fixa l'un après l'autre. Ses paupières se plissaient à mesure que le jour se faisait en lui.

— Quoi... ? Ne me dis pas... que tu as couché avec lui !

Elle se dérida... sans lâcher Frank des yeux pourtant. Toute gonflée de sa propre victoire, elle était la reine, la conquérante qui anéantit l'imprudent qui se dresse sur sa route. Son arrogance incommensurable l'emplissait de mépris à l'égard des téméraires qui osaient contester ses mobiles ou ses méthodes. Car elle savait tout mieux que personne.

— Oh, on n'était pas vraiment couchés, si ? demanda-t-elle à l'avocat pour mieux ridiculiser le pauvre Paley qui se ratatinait sur place.

Frank ne broncha pas.

— Enfin, Alan, pas la peine de prendre cet air de chien battu ! lâcha-t-elle à son complice comme s'il s'agissait d'un débile. Je t'ai baisé, j'ai baisé Andrew, j'ai baisé Frank. C'est mon job. Je baise. Comme ça j'ai récolté dix millions de dollars. Bon, d'accord, neuf millions, pavoisa-t-elle.

— Pauvre Joanne, murmura Frank.

— A tout meurtre son suspect, claironna la manipulatrice, un sourire mauvais lui tordant la bouche.

— Récapitulons... fit Frank. Tu baises le Dr Paley et le nom d'un de ses riches patients lui échappe. Ce qui te donne l'idée d'essayer de coucher avec Marsh pour qu'il te couche sur son testament... Une spécialité, en somme.

— Difficile de me résister... dit-elle et elle partit d'un rire impitoyable aux accents métalliques.

Paley ne se contrôlait plus. Le visage du pauvre docteur déboussolé n'était plus qu'un champ de bataille labouré par ses conflits intérieurs.

— Pourquoi tu lui racontes tout le plan ?

— Au contraire, mon vieux, c'est Frank qui est en train de tout nous expliquer !

Bien sûr, puisqu'il avait tout compris. Frank poussa sa sonde un peu plus loin :

— La cocaïne, c'était le Dr Paley qui te la procurait, hein ?

— Hi ! hi ! Comme ça, pas moyen d'en retrouver l'origine !

— La vache ! tu m'as bien eu, reconnut

Frank, qui ne parvenait pas à réprimer son admiration. Le témoignage de Paley te noircit un maximum et après ça, tu me chauffes bien pour que je le massacre afin de t'innocenter pleinement. Il t'a servi de repoussoir. Tu es vraiment géniale.

Mais Rebecca en avait fini de ses petits jeux, pour le moment. Elle n'avait plus qu'une envie : chasser cet avocat de chez elle.

— Je ne peux vraiment pas te retourner le compliment, mon pauvre Frank. J'avais peur que tu trouves le message sur le répondeur téléphonique un peu trop gros à avaler, mais non, tu en as presque redemandé !

Ils étaient donc allés jusqu'à mettre en scène les menaces téléphonées... Très habile. Frank secoua la tête, ébahi. Il fallait bien rendre à César ce qui était à César...

— Qu'est-ce que tu es venu faire chez moi, Frank ? Tu fais comme ces avocats marrons qui se ruent sur les accidents pour y chercher de la clientèle ? Touches-en deux mots à Alan. Paraît qu'il a des problèmes.

Ce fut la goutte d'eau qui fit disjoncter Paley. Brusquement, tout s'éclairait pour lui : les débauches sexuelles, les chatteries, elle ne lui avait accordé tant d'attention que pour mieux exécuter son plan magistral. Pour récupérer la fortune. Lui n'avait joué qu'un rôle de tremplin dans sa course au fric. Obnubilée par ses propres désirs, ses propres manques, elle n'avait fait que le manipuler, tel le pion que l'on n'avance qu'au moment voulu sur son échiquier.

Paley n'avait aucune valeur à ses yeux. Frank pas davantage. Ni même Marsh. Incapable d'amour, Rebecca était un robot vorace, une machine à comploter totalement dépourvue d'âme. Et lui avait été assez bête pour en tomber amoureux, pour s'amouracher de cette machine à baiser, cette criminelle sans cœur et sans âme !

Et la conclusion sortit telle une plainte d'un Paley aux yeux exorbités :

— Tu te contrefiches de ma pomme...

Poing sur la hanche, elle toisa le malheureux avec un total mépris.

— Parfaitement ! Et je t'ai même déjà oublié.

Les globes oculaires se lancèrent dans une valse frénétique à fleur de crâne, fouettés par cette humiliation absolument intolérable. Non seulement sa complice s'était jouée de lui mais il risquait maintenant de porter le chapeau. S'il avait bien saisi les insinuations de Rebecca, il risquait fort de se faire condamner. Elle y veillerait, la garce...

Il ne verrait pas un centime de la récompense promise puisqu'une fois achevées les démarches notariales pour toucher l'héritage, elle aurait tout craché aux flics. Ils n'auraient plus qu'à le boucler. Et il aurait beau leur cracher la vérité, se voir soutenu par tous les témoins du monde, jamais on ne pourrait rejuger Rebecca. Écrasé par ce constat, Paley perdit la tête.

Il cueillit sur la table du séjour un lourd cendrier de verre et, voulut le lui écraser sur la figure en beuglant :

— Espèce de connasse !

Rebecca esquiva le coup. Il l'avait manquée de peu.

— Mais qu'est-ce que tu as, bon sang ? hurla-t-elle.

Cendrier toujours au poing, Paley s'apprêtait à frapper encore.

— J'ai fichu ma vie en l'air pour tes beaux yeux, cracha-t-il, frappé de stupeur, effaré d'une pareille découverte.

Il revenait à la charge, brandissant le cendrier. Elle recula précipitamment, terrorisée.

— Tu vas être riche, dit-elle comme si la raison d'une pareille fureur lui échappait.

Paley s'en moquait éperdument. Frank lui empoigna le bras au vol et le lui bloqua.

— Lâche ça ! ordonna l'avocat, sans aucun effet.

L'œil injecté, fou furieux, Paley fixait toujours Rebecca.

— L'argent, tu peux te le foutre où je pense.

Il envoya un bon coup de coude dans l'estomac de Frank qui lâcha prise. Voyant que Paley s'était libéré, Rebecca se rua droit sur l'escalier, cherchant à échapper à ce frénétique.

Propulsé par une fureur noire, Paley fut sur elle en un éclair. Il lui happa un pied, la fit tomber. La table basse bascula avec un son mat auquel répondirent les tintements cristallins des bibelots qui dégringolèrent sur la moquette.

Rebecca se retrouva bloquée sous le lourd panneau de bois. Défiguré par un rictus sauvage, Paley la piétinait, cherchant à la réduire en bouillie.

Frank lui sauta au collet pour le cravater et le tirer en arrière mais le furieux suait si abondamment que ses doigts lui glissèrent sur la nuque. L'autre parvint à se dégager. Les bras en tenailles, il ceintura Frank, le forçant à reculer. Ils luttèrent au corps à corps. Ils se propulsaient mutuellement d'avant en arrière, cherchant à réduire l'adversaire à néant.

Des hurlements montaient du gosier de Rebecca, des jurons de celui de Paley, étourdissant Frank qui ne pensait qu'à rétablir le calme.

Les deux hommes tournoyaient dans le séjour, arrimés l'un à l'autre, renversant meubles et lampes. Les coups pleuvaient. Ils luttaient pour se libérer.

Des sons discordants jaillissaient de tous les coins, fracas des lampes qui s'écrasaient par terre, du bois qui volait en éclats, cacophonie noyée sous les hurlements de Rebecca et les imprécations rauques de Paley.

Quand il réussit enfin à s'arracher à Paley, Frank lui envoya un direct dans l'estomac. Ce qui ne l'arrêta pas. Immunisé au contraire par une puissante décharge d'adrénaline, Paley balança son pied en plein dans le tibia de Frank. La douleur plia l'avocat en deux. Mais il se redressa très vite. Son poing partit comme un boulet vers la mâchoire de Paley. Il le manqua.

Un coup en plein dans le plexus solaire lui coupa la respiration et l'envoya valser contre le mur.

Rebecca avait fini par se dépêtrer de sa table basse. Elle se jeta à l'assaut de l'escalier. Paley surprit son mouvement. Il abandonna Frank à son sort et plongea droit sur la jambe de Rebecca. Cette fois, il la rata. Elle bondit de marche en marche, pourchassée par son complice.

Frank voyait trente-six chandelles. Il n'aurait jamais dû succomber à la tentation d'affronter une dernière fois cette fille. Chaque fois il en ressortait meurtri, lacéré de souffrance. Quelle idée de s'être laissé piéger dans la lutte à mort que se livraient ces deux conspirateurs ! Rebecca avait sucé Paley jusqu'à la moelle ; tout comme Frank. Tous deux n'avaient été que des instruments, deux pions mâles à exploiter dans sa course frénétique à la richesse.

Elle avait pourtant commis l'erreur fatale de sous-estimer le médecin. Il n'avait plus qu'une envie : la tuer, anéantir celle qui avait déchaîné sa haine en se moquant de lui. Par son arrogance insensée, Rebecca venait de torpiller la remarquable intelligence qui lui avait permis de mener à bien ses machinations.

Quel gâchis... Quelle bêtise...

Il fallait monter là-haut ; dans la chambre. Le plus vite possible. Cisaillé par la douleur, Frank courut vers l'escalier.

Arrivée dans la chambre, Rebecca fonça droit sur la table de chevet. Paley devina aussitôt pourquoi. Il vola sur elle, réussit à la pousser de côté pour arracher lui-même le tiroir. Et un revolver brilla bientôt à son poing, lueur d'acier qui se refléta dans ses prunelles.

Frank déboucha enfin au premier étage. Ses jambes lui faisaient un mal de chien, son cœur battait la breloque, il suffoquait. Mais dès qu'il aperçut l'arme, il bondit sur Paley. Une détonation... La balle érafla le cou de Rebecca.

Elle poussa un hurlement de douleur. Le sang gicla sur sa robe.

Frank avait réussi à harponner Paley, à bloquer le bras qui tenait le revolver. Mais la colère décuplait les forces du médecin. Il tira encore. Cette fois, c'est sur un aquarium que la balle se fracassa. Éclats de verre, poissons arc-en-ciel jaillirent, tandis que se déversaient sur le plancher une bonne centaine de litres d'eau. Une vraie patinoire...

Paley se libéra le bras d'un mouvement violent. Le regard fou, il releva son arme. Déjà Frank s'élançait, le propulsait à reculons à travers la chambre. Mais le médecin s'entrava les pieds sur le tapis trempé. Il bascula dans l'escalier, fit la culbute et alla s'écraser au pied des marches. Frank étudia un instant ce tas avachi et immobile. Il ne vit pas de revolver.

Comme pour atténuer ses souffrances, il avala une longue goulée d'oxygène. Il souffrait atrocement du bras, d'un œil aussi. Et les entailles qu'il avait au visage le cuisaient comme autant de piqûres de guêpes. La cage thoracique comme broyée, il avait tellement mal à l'estomac qu'il en aurait presque dégobillé.

A nouveau il étudia le corps recroquevillé de Paley. L'autre avait apparemment perdu connaissance. Quant à Rebecca, l'air hébété, elle cherchait à se remettre debout.

— Ça va ?

— Je pense que oui, répondit-elle, la voix cassée. Toi, par contre, tu es rudement amoché.

— Je m'en remettrai, ne t'inquiète pas. Viens que je t'aide.

Il la hissa sur ses pieds. Plongeant les yeux au fond des siens, faiblarde, elle demanda :

— Sors-moi d'ici, Frank.

Frank eut envie de lui expliquer pourquoi il était venu la trouver mais maintenant, ça n'avait plus de sens. Cette fille ne changerait pas. Jamais elle n'écouterait. Elle continuerait à agir à sa guise quand ça lui chanterait.

La vraie Rebecca, c'était ça : une tueuse, une putain de manipulatrice. Le mal, aussi. Peut-être même le mal personnifié, l'incarnation de tous les maux. Mais Frank ne se résignait pas à l'abandonner aux griffes d'un Paley qui s'était juré de la tuer. Parce que ça n'aurait pas résolu ses tourments.

— Bon, d'accord...

Elle se redressait. Elle s'ébranlait quand un troisième coup de feu partit, à briser les tympans. La balle la frappa en pleine poitrine et sous l'impact, elle fut propulsée, à reculons, droit sur la baie vitrée qui se fracassa.

Frank pivota. Paley se dressait en haut de l'escalier. Le bras qui tenait le revolver s'abaissait lentement.

L'horreur...

Frank se retourna vers Rebecca. Il n'y avait plus de vitre. Environnée d'éclats de verre, Rebecca tombait en arrière, au ralenti. Il tendit la main vers la main qu'elle lui tendait mais trop tard...

La terre cessa de tourner. Comme elle avait cessé de tourner au tribunal, quand cette fille lui avait craché que oui, c'était elle qui avait tué Andrew Marsh.

Un calme, une paix incroyables régnaient autour. Avec lenteur, Rebecca partait à la renverse, s'éloignant de la fenêtre en flottant, bras et jambes en croix, ses boucles blondes portées par la brise tandis que la tache sombre grossissait rapidement entre ses seins.

Son regard demeurait rivé au sien. Non pas

dans la peur mais dans la paix, comme si elle savait que tout était terminé. Une sorte de sourire voguait sur ses lèvres comme pour signifier que oui, elle savait que c'était ainsi que viendrait la fin. Le regard toujours rivé à celui de Frank.

Et puis le corps s'écrasa sur l'eau, projetant une gerbe d'éclaboussures avant de sombrer, de disparaître.

Le cadavre remonta à la surface un instant plus tard, les yeux ouverts, sans vie, tandis que l'eau en douces rides venait laper sa bouche ouverte et que la rivière rougissait au contact de ses seins.

Paley était assis sur le lit. L'arme pendait toujours au bout de son bras inerte. Il se rendait compte de la portée de son geste. Il se rendait compte que pour lui, la vie, c'était fini. Il s'en moquait. C'était déjà fini avant qu'il la tue.

— J'étais fou d'elle, dit-il d'une voix triste.

Comme si cela justifiait tout.

Frank sortit sa pochette, en enveloppa la crosse du revolver avant de le prendre à Paley qui ne fit aucune résistance.

— On s'est trompés tous les deux, souffla-t-il enfin.

12

Ça grouillait encore sur toute la péniche. Flics, techniciens, hommes-grenouilles avec leur attirail de plongée : ils n'avaient pas arrêté de la nuit.

On avait interdit la zone en la balisant d'un ruban de plastique jaune qui allait jusqu'au quai. Au-delà de cette barrière, se tenaient les journalistes, la télé, d'autres policiers, l'équipe du médecin légiste... et les badauds, aussi.

Oui, les curieux avaient rappliqué. Ces badauds qui accourent sur les lieux en cas de graves accidents de la route, d'incendies, voire de tueries sur la voie publique. Ils restent plantés là sans rime ni raison, à se gorger du spectacle, de ce sang, de ces os éclatés, de ces chairs en lambeaux et hochent la tête, éberlués, en échangeant des commentaires d'une voix indistincte.

On les trouve toujours là. Cela surprenait toujours Frank.

Assis sur le pont de la péniche, il avait mal partout. Du corps à corps avec Paley il avait récolté un visage tuméfié — on l'avait bandé —, une paupière qui refusait de s'ouvrir, un bras dans le plâtre. Et il commençait à peine à se remettre de la piqûre administrée par une auxiliaire médicale. Il restait là, inconscient de la bruine persistante qui lui trempait les cheveux et la veste.

Garrett était assis sur l'autre chaise. Lui non plus il ne se souciait pas de la pluie. Il sondait la nuit, hochant la tête. La déconfiture de son adversaire avait apaisé sa haine.

— Tu aurais pu attendre, quand même.

— Non, grogna Frank. J'ai tenu à leur faire ma déposition tout de suite, à chaud.

— Le karma, tu y crois, Frank ?

— Non.

L'humidité commençait à le gêner. Frank se dressa tant bien que mal sur ses jambes flageolantes. Elles lui faisaient atrocement mal. Il était complètement perclus. La douleur le faisait tituber.

— Je rentre chez moi, annonça-t-il d'un ton las. La nuit m'a paru bougrement longue.

Garrett se leva à son tour pour se mettre à l'abri.

— Il y a de quoi.

— Merci, Bob.

— Pour ce fameux karma... Quel que soit le nom qu'on lui donne... Destin, fatalité... que sais-je ? En général, les gens ont le karma qu'ils méritent. Sauf les avocats.

Frank l'étudia un moment et puis, approuvant de la tête :

— En général, mais pas toujours.

Ces deux avocats habitués à s'affronter dans les tribunaux regardèrent les infirmiers sortir le sac funéraire qui renfermait Rebecca et le jucher sur un chariot.

— C'est toi qui aurais dû gagner le procès, Bob, soupira Frank.

— Oh ! mais je l'ai gagné, répondit Garrett.

Les roues du chariot s'ébranlèrent avec un bruit de casserole. Les légistes le poussèrent sous le ruban jaune et puis le long du quai. Frank le suivit en boitant, ralenti par cette douleur atroce qui le tenaillait depuis la cheville jusqu'à la hanche.

Il vit Sharon, plus loin, dans la rue. Elle marchait à sa rencontre. Quand il se retrouva à sa hauteur, il la prit au creux de son bras valide et la serra contre lui.

— Ça va ? s'inquiéta-t-elle.

— Je m'en sortirai, oui.

— Je suis si heureuse que tu m'aies appelée, Frank.

— Et moi, donc...

Ils firent quelques pas puis Frank s'arrêta : il venait de remarquer, à l'horizon, le soleil qui se levait.

— Qu'y a-t-il ?

— Oh ! rien. Une nouvelle journée qui commence.

Il plongea dans son regard.

— Sharon, je suis vraiment désolé. Je me rends compte maintenant du mal que je t'ai fait. Et je ne peux pas me justifier. Je t'assure que je n'y arrive pas. Simplement, je te demanderai de me pardonner.

Elle lui ferma la bouche d'un doigt.

— Comme tu le disais, Frank, c'est une nouvelle journée qui commence.

Il l'enlaça. Ensemble, ils regagnèrent la voiture.

Jean-Paul Dubois

Jean-Paul Dubois

Les poissons me regardent

Roman

Un auteur d'aujourd'hui à découvrir.

Un roman distrayant et plein de charme.

J'ai lu 3340/**3**

Chroniqueur de boxe, Emmanuel se souvient du jour où tout a basculé.

Son vieux père, disparu depuis dix ans, resurgit dans sa vie. Une relation renaît, faite de tendresse, de violence et de jalousie.

Des personnages singuliers, très contemporains.
Un style et un ton d'une grande sincérité.

J'ai lu : A chacun son livre, à chacun son plaisir.

3479

Composition Gresse B-Embourg
Achevé d'imprimer en Europe (France)
par Brodard et Taupin à la Flèche (Sarthe)
le 10 février 1993. 6638G-5
Dépôt légal février 1993. ISBN 2-277-23479-6

Éditions J'ai lu
27, rue Cassette, 75006 Paris
Diffusion France et étranger : Flammarion